Comédie
et actes divers

OUVRAGES DE SAMUEL BECKETT

Romans et nouvelles

Bande et sarabande
Murphy
Watt
Premier amour
Mercier et Camier
Molloy
Malone meurt
L'innommable
Nouvelles (L'expulsé, Le calmant, La fin) et Textes pour rien
L'image
Comment c'est
Têtes-mortes (D'un ouvrage abandonné, Assez, Imagination morte
    imaginez, Bing, Sans)
Le dépeupleur
Pour finir encore et autres foirades (Au loin un oiseau, Se voir,
    Immobile, La falaise)
Compagnie
Mal vu mal dit
Cap au pire
Soubresauts

Proust
Poèmes, *suivi de* Mirlitonnades
Le monde et le pantalon, *suivi de* Peintres de l'empêchement

Théâtre, télévision et radio

Eleutheria
En attendant Godot
Fin de partie
Tous ceux qui tombent
La dernière bande, *suivi de* Cendres
Oh les beaux jours, *suivi de* Pas moi
Comédie et actes divers (Va-et-vient, Cascando, Paroles et musi-
    que, Dis Joe, Acte sans paroles I, Acte sans paroles II, Film,
    Souffle)
Pas, *suivi de* Quatre esquisses (Fragment de théâtre I, Fragment de
    théâtre II, Pochade radiophonique, Esquisse radiophonique)
Catastrophe et autres dramaticules (Cette fois, Solo, Berceuse,
    Impromptu d'Ohio, Quoi où)
Quad et autres pièces pour la télévision (Trio du Fantôme, ... que
    nuages..., Nacht und Träume), *suivi de* L'épuisé *par* Gilles
    Deleuze

SAMUEL BECKETT

Comédie
et actes divers

Va-et-vient, Cascando, Paroles et musique,
Dis Joe, Actes sans paroles I et II, Film, Souffle.

LES ÉDITIONS DE MINUIT

ISBN 2-7073-0225-2

comédie

PIÈCE EN UN ACTE

Traduit de l'anglais par l'auteur

Personnages

F 1   Première Femme
F 2   Deuxième Femme
H   Homme

A l'avant-scène, au centre, se touchant, trois jarres identiques, un mètre de haut environ, d'où sortent trois têtes, le cou étroitement pris dans le goulot. Ce sont celles, de gauche à droite vues de l'auditoire, de F 2, H et F 1. Elles restent rigoureusement de face et immobiles d'un bout à l'autre de l'acte. Visages sans âge, comme oblitérés, à peine plus différenciés que les jarres.

La parole leur est extorquée par un projecteur se braquant sur les visages seuls.

Le transfert de la lumière d'un visage à l'autre est immédiat. Pas de noir (obscurité presque totale du début) sauf aux endroits indiqués.

La réponse à la lumière est instantanée.

Visages impassibles. Voix atones sauf aux endroits où une expression est indiquée. Débit rapide.

Au lever du rideau, obscurité presque totale. On devine les jarres. Cinq secondes.

Faibles projecteurs simultanément sur les trois visages. Voix faibles.

F 1, F 2, H (*ensemble*)

F 1. — Oui, bizarre, noir l'idéal, et plus il fait noir plus ça va mal, jusqu'au noir noir, et tout va bien, tant qu'il dure, mais ça viendra, l'heure viendra, la chose est là, tu la verras, tu me lâcheras, pour de bon, tout sera noir, silencieux, révolu, oblitéré —

F 2. — Oui, sans doute, un peu dérangée, je veux bien, d'aucuns diraient, pauvre petite, un peu dérangée, à peine un rien, dans la tête (*faible rire effaré*), à peine un rien, mais j'en doute, pas vraiment, moi ça va, ça va encore, je fais de mon mieux, ce que je peux —

H. — Oui, la paix, on y comptait, tout éteint, toute la peine, tout comme si... jamais été, ça viendra (*hoquet*) pardon, éteindre cette folie, oh je sais bien, mais quand même, on y comptait, sur la paix, non seulement tout révolu, mais comme si... jamais été —

Les projecteurs s'éteignent. Noir. Cinq secondes. Forts projecteurs simultanément sur les trois visages. Voix force normale.

F 1, F 2, H (*ensemble*)

F 1. — Je lui dis, Laisse-la tomber —

F 2. — Un matin alors que je cousais —

H. — Nous n'étions pas longtemps ensemble —

Les projecteurs s'éteignent. Noir. Cinq secondes. Projecteur sur F 1.

F 1. — Je lui dis, Laisse-la tomber. Je jurai mes grands dieux —

Projecteur de F 1 à F 2.

F 2. — Un matin alors que je cousais devant la fenêtre ouverte elle arriva en trombe et me vola dans les plumes. Laissez-le tomber, hurla-t-elle, il est à moi. Ses portraits l'avantageaient. La voyant alors pour la première fois de pied et en chair et en os je compris qu'il pût me préférer.

Projecteur de F 2 à H.

H. — Nous n'étions pas longtemps ensemble et déjà elle sentait un rat. Laisse tomber cette traînée, dit-elle, ou je me coupe la gorge — (*hoquet*) pardon — aussi vrai que Dieu me voit. Sachant qu'elle ne pouvait avoir aucune preuve je répondis que j'ignorais de quoi elle parlait.

Projecteur de H à F 2.

F 2. — De quoi parlez-vous ? dis-je, tout en cousant de plus belle. Quelqu'un à vous ? Laisser tomber qui ? Vous l'avez empesté, hurla-t-elle, il pue la chienne.

Projecteur de F 2 à F 1.

F 1. — Je le fis filer des mois durant par un homme de confiance. Mais jamais l'ombre d'une preuve. Et je devais reconnaître qu'il avait pour moi les mêmes... empressements que toujours.

Cela, et son horreur des rapports platoniques purs et simples, me faisaient craindre par moments de l'accuser à tort. Oui.

Projecteur de F 1 à H.

H. — De quoi te plains-tu ? dis-je. T'ai-je négligée ? Comment pourrions-nous être ensemble comme nous le sommes s'il y avait une... femme dans ma vie ? L'aimant comme je l'aimais, je veux dire de tout mon cœur, je ne pouvais que la plaindre.

Projecteur de H à F 2.

F 2. — Craignant qu'elle ne passe aux voies de fait je sonnai Frontin pour qu'il la reconduise. Ses derniers mots, comme il pourrait en témoigner, s'il vit encore, et n'a pas oublié, allant et venant sur la terre, conduisant et reconduisant, donnaient à entendre qu'elle me ferait la peau. J'avoue en avoir été un peu ébranlée, sur le moment.

Projecteur de F 2 à H.

H. — Elle ne fut pas convaincue. J'aurais pu m'en douter. Elle t'a empesté, disait-elle toujours, tu pues la pute. Pas moyen de répondre à ça. Je la pris donc dans mes bras et lui jurai que je ne pourrais vivre sans elle. Je le pensais du reste. Oui, j'en suis persuadé. Elle ne me repoussa pas.

Projecteur de H à F 1.

F 1. — Jugez donc de mon effarement lorsqu'un beau matin, m'étant enfermée avec mon chagrin dans mes appartements, je le vois arriver, l'oreille basse, tomber à genoux devant moi, enfouir son visage dans mon giron et... passer aux aveux.

Projecteur de F 1 à H.

H. — Elle me colla un privé aux fesses, mais je lui dis deux mots. Il fut ravi du rabiot.

Projecteur de H à F 2.

F 2. — Pourquoi ne la plaques-tu pas, disais-je, quand il commençait à geindre sur la vie qu'elle lui faisait, il n'y a plus rien entre vous, de toute évidence. Non ?

Projecteur de F 2 à F 1.

F 1. — Mon premier mouvement fut, je l'avoue, émerveillement. Quel mâle !

Projecteur de F 1 à H. Il ouvre la bouche pour parler. Projecteur de H à F 2.

F 2. — Quelque chose entre nous, disait-il, tu me prends pour quoi, une machine à machin ? Et avec lui, bien sûr, aucun danger d'amour idéal. Alors pourquoi ne la plaques-tu pas ? disais-je. Je me demandais quelquefois s'il ne restait pas avec elle à cause de sa fortune.

Projecteur de F 2 à H.

H. — Puis ce fut l'explication entre les deux. Qu'elle ne vienne plus me tomber dessus chez moi, dit-elle, en menaçant de me donner la mort. Je dus avoir l'air incrédule. Demande à Frontin, dit-elle, si tu ne me crois pas. Mais c'est à elle-même qu'elle menace de la donner, dis-je. Pas à toi ? dit-elle. Non, dis-je, à elle-même. Tordante salade. Nous avons bien ri.

Projecteur de H à F 1.

F 1. — Puis je lui pardonnai. De quelles bassesses l'amour n'est-il pas capable ! Je proposai, histoire de fêter ça, une petite virée sur la Côte d'Azur, ou jusqu'à notre chère vieille Grande Canarie. Il était pâle. Hâve. Mais impossible dans l'immédiat. Des engagements professionnels.

Projecteur de F 1 à F 2.

F 2. — Elle rappliqua. Entra comme chez elle. Tout miel. Se pourléchant les babines. La pauvre. Je faisais mes ongles, devant la fenêtre ouverte. Il m'a tout dit, dit-elle. Qui il, dis-je, tout en limant de plus belle, et tout quoi ? Je sais quels tourments vous devez endurer, dit-elle, et je suis venue vous dire que je suis sans rancune. Je sonnai Frontin.

Projecteur de F 2 à H.

H. — Puis je pris peur et lui dis tout. Elle avait l'air de plus en plus désespérée. Elle promenait un rasoir dans son réticule. Adultères, avis à vous, n'avouez jamais.

Projecteur de H à F 1.

F 1. — Quand j'eus la certitude que tout était fini je retournai chez elle me régaler. Une poule de bas étage. Ce qu'il avait bien pu lui trouver alors qu'il m'avait moi —

Projecteur de F 1 à F 2.

F 2. — Quand il revint on s'expliqua. Le cœur me crevait. Il me fit un exposé. Pourquoi il avait dû vider notre sac. Trop risqué, etc. Il n'en finissait plus. Ça voulait dire qu'il s'était remis avec elle. Remis avec ça !

Projecteur de F 2 à F 1.

F 1. — Face de lune, bouffie, boutonneuse, bouche deux boudins, bajoues, mamelles à vous faire —

Projecteur de F 1 à F 2.

F 2. — Il n'en finissait plus. J'entendais une tondeuse. Une vieille tondeuse à main. Je le coupai en disant que si, malgré tout ce que j'éprouvais, je n'avais pas de sottes menaces à brandir, je n'avais pas non plus beaucoup d'appétit pour les reliefs de Madame. Ça l'occupa un moment.

Projecteur de F 2 à F 1.

F 1. — Des mollets de suisse —

Projecteur de F 1 à H.

H. — Quand je la revis elle savait. Elle avait l'air — (*hoquet*) — misérable. Pardon.

Un con quelconque tondait sa pelouse. Une petite ruée, puis une autre. Il s'agissait de la convaincre que dans tout ça pas question d'un... renouveau d'intimité. Je n'y arrivai pas. J'aurais pu m'en douter. Je la pris donc dans mes bras et lui jurai que je ne pourrais continuer à vivre sans elle. Je ne crois pas que j'aurais pu.

Projecteur de H à F 2.

F 2. — Une seule solution, filer ensemble. Il me jura que nous le ferions dès qu'il aurait mis de l'ordre dans ses affaires. En attendant nous n'avions qu'à continuer comme avant. Par là il entendait de notre mieux.

Projecteur de F 2 à F 1.

F 1. — Le voilà donc de nouveau à moi. Tout à moi. J'étais de nouveau heureuse. Je chantais du matin au soir. Le monde —

Projecteur de F 1 à H.

H. — A la maison un seul mot d'ordre — s'ouvrir le cœur, passer l'éponge et tourner la page. Je suis tombée sur ton ex-putasse, dit-elle un soir, sur l'oreiller, tu reviens de loin. Plutôt déplacé, à mon avis. En effet,

mon amour, dis-je, en effet. Dieu quelle ver-
mine les femmes. Grâce à toi, mon ange, dis-je.

Projecteur de H à F 1.

F 1. — Puis il se remit à puer. Oui.

Projecteur de F 1 à F 2.

F 2. — Il finit par ne plus venir. J'étais
parée. Plus ou moins.

Projecteur de F 2 à H.

H. — A la fin c'en était trop. Je ne pouvais
littéralement —

Projecteur de H à F 1.

F 1. — Avant que j'aie eu le temps de me
retourner il disparut. Ça voulait dire qu'elle
avait gagné. Cette roulure ! Je ne pouvais le
croire. J'en restai prostrée des semaines durant. Finalement je sortis la voiture et allai
chez elle. Tout était verrouillé. Gris de givre.
En rentrant chez moi par Sept-Sorts et Signy-
Signet —

Projecteur de F 1 à H.

H. — Je ne pouvais littéralement —

Projecteur de H à F 2.

F 2. — C'était la Toussaint. On brûlait les feuilles mortes. Je fis un paquet de ses affaires et les jetai au feu. Toute la nuit je les sentis se consumer.

Le projecteur s'éteint. Noir. Cinq secondes. Projecteurs moitié moins forts simultanément sur les trois visages. Voix proportionnellement plus faibles.

F 1, F 2, H (*ensemble*)

F 1. — Pitié, pitié —

F 2. — Dire que je ne suis —

H. — Quand ça baissa —

Les projecteurs s'éteignent. Noir. Cinq secondes. Projecteur sur H.

H. — Quand ça baissa la première fois je louai Dieu, je le jure. Je pensai, C'est fait, c'est dit, maintenant tout va s'éteindre —

Projecteur de H à F 1.

F 1. — Pitié, pitié, encore soif de pitié. Elle viendra. Tu ne m'as pas vue. Mais tu me verras. Puis elle viendra.

Projecteur de F 1 à F 2.

F 2. — Dire que je ne suis pas déçue, non, je le suis. Je comptais sur quelque chose de mieux. De plus reposant.

Projecteur de F 2 à F 1.

F 1. — Ou tu te lasseras. Me lâcheras.

Projecteur de F 1 à H.

H. — S'éteindre, oui, sombrer, dans le noir, la paix arrive, je pensai, après tout, enfin, j'avais raison, après tout, Dieu soit loué, quand ça baissa la première fois.

Projecteur de H à F 2.

F 2. — De moins trouble. De moins troublant. N'empêche que je préfère ceci à... l'autre affaire. Nettement. Il y a des moments endurables.

Projecteur de F 2 à H.

H. — Je pensai.

Projecteur de H à F 2.

F 2. — Quand tu t'éteins — et moi avec. Un jour tu te lasseras et t'éteindras — pour de bon.

Projecteur de F 2 à F 1.

F 1. — Lueur infernale.

Projecteur de F 1 à H.

H. — La paix, oui, sans doute, une manière de paix, et toute cette peine comme si... jamais été.

Projecteur de H à F 2.

F 2. — Me lâcheras comme peine perdue et t'en iras harceler quelqu'un d'autre. D'un autre côté —

Projecteur de F 2 à F 1.

F 1. — Lâche-moi. (*Véhémente.*) Lâche-moi !

Projecteur de F 1 à H.

H. — Elle viendra. Doit venir. Ceci est folie.

Projecteur de H à F 2.

F 2. — D'un autre côté les choses peuvent empirer, il existe ce danger.

Projecteur de F 2 à H.

H. — Oh évidemment, je le sais maintenant —

Projecteur de H à F 1.

F 1. — Serait-ce que je ne dis pas la vérité, serait-ce cela, qu'un jour enfin tant bien que mal je dirai la vérité et alors plus de lumière enfin, contre la vérité ?

Projecteur de F 1 à F 2.

F 2. — Tu pourrais t'emporter et flamboyer à me fondre la cervelle, pas vrai ?

Projecteur de F 2 à H.

H. — Je le sais maintenant, tout cela n'était que... comédie. Et tout ceci, quand est-ce que...

Projecteur de H à F 1.

F 1. — Serait-ce cela ?

Projecteur de F 1 à F 2.

F 2. — Pas vrai ?

Projecteur de F 2 à H.

H. — Tout ceci, quand est-ce que tout ceci n'aura été que... comédie ?

Projecteur de H à F 1.

F 1. — Je ne peux plus rien faire... pour personne... Dieu soit loué. Par conséquent il ne peut s'agir que d'une chose à dire. Comme la raison fonctionne encore !

Projecteur de F 1 à F 2.

F 2. — Mais j'en doute. Ce n'est pas tout à fait ton genre. Et tu dois savoir que je fais de mon mieux. Ou ne le sais-tu pas ?

Projecteur de F 2 à H.

H. — Peut-être sont-elles devenues amies. Peut-être le chagrin —

Projecteur de H à F 1.

F 1. — Mais j'ai dit tout ce que j'ai pu. Tout ce que tu permets. Tout ce que —

Projecteur de F 1 à H.

H. — Peut-être le chagrin les a-t-il rapprochées.

Projecteur de H à F 2.

F 2. — Et si je faisais la même erreur que lorsque c'était le soleil qui brillait, celle de vouloir un sens là où il peut n'y en avoir aucun.

Projecteur de F 2 à H.

H. — Peut-être se réunissent-elles pour bavarder, devant une tasse de ce thé vert qu'elles affectionnaient tant, sans lait, ni sucre, pas même un zeste de citron —

Projecteur de H à F 2.

F 2. — Est-ce que tu m'écoutes ? Est-ce que quelqu'un m'écoute ? Est-ce que quelqu'un me regarde ? Est-ce que quelqu'un a le moindre souci de moi ?

Projecteur de F 2 à H.

H. — Pas même un zeste —

Projecteur de H à F 1.

F 1. — S'agirait-il d'une chose à faire avec le visage, autre que parler ? Pleurer ?

Projecteur de F 1 à F 2.

F 2. — Suis-je tabou ? Je me le demande. Pas forcément, maintenant que tout danger est écarté. Cette infortunée créature — je l'entends d'ici — cette infortunée créature —

Projecteur de F 2 à F 1.

F 1. — Me trancher la langue d'un coup de dent et l'avaler ? La cracher ? Ça t'assouvirait-il ? Dieu comme la raison fonctionne encore !

Projecteur de F 1 à H.

H. — Pour bavarder, tantôt dans l'une des chères vieilles demeures, tantôt dans l'autre, comparant chagrins et — (*hoquet*) pardon — souvenirs de bonheur.

Projecteur de H à F 1.

F 1. — Si seulement je pouvais penser, Ceci n'a pas de sens non plus, mais aucun. Je ne peux pas.

Projecteur de F 1 à F 2.

F 2. — Cette infortunée créature qui voulait te séduire, qu'est-ce qu'elle a bien pu devenir, à ton avis ? — je l'entends d'ici. La pauvre.

Projecteur de F 2 à H.

H. — Personnellement je préférais l'Eléphant.

Projecteur de H à F 1.

F 1. — Et que tout tombe, depuis le commencement, dans le vide. On ne demande rien du tout. Personne ne me demande rien du tout.

Projecteur de F 1 à F 2.

F 2. — Ils seraient même capables de me plaindre, s'ils pouvaient me voir. Mais jamais comme moi je les plains eux.

Projecteur de F 2 à F 1.

F 1. — Je ne peux pas.

Projecteur de F 1 à F 2.

F 2. — Se baisant jaune de leurs jaunes baisers.

Projecteur de F 2 à H.

H. — Je les plains en tout cas, oui, compare mon sort avec le leur, si charmant soit-il, et les —

Projecteur de H à F 1.

F 1. — Je ne peux pas. La raison l'interdit. Il faudrait qu'elle lâche. Oui.

Projecteur de F 1 à H.

H. — Plains.

Projecteur de H à F 2.

F 2. — A quoi joues-tu quand tu t'éteins ? A passer au crible ?

Projecteur de F 2 à H.

H. — Est-ce que je cache quelque chose ?
Est-ce que j'ai perdu —

Projecteur de H à F 1.

F 1. — Elle avait de la fortune, j'ai l'impression, tout en vivant comme une cochonne.

Projecteur de F 1 à F 2.

F 2. — Comme un lourd rouleau à traîner,
un jour de canicule. La lutte pour le décoller,
ça vient —

*Le projecteur s'éteint. Noir, Trois secon-
des. Projecteur sur F 2.*

Halte, relutte.

Projecteur de F 2 à H.

H. — Est-ce que j'ai perdu la chose que tu
cherches ? Pourquoi t'éteindre. Pourquoi ne
pas —

Projecteur de H à F 2.

F 2. — Et toi peut-être en train de me
plaindre, en te disant, La pauvre, elle a besoin
de souffler.

Projecteur de F 2 à F 1.

F 1. — Peut-être qu'elle l'a emmené vivre...
quelque part au soleil.

Projecteur de F 1 à H.

H. — Pourquoi baisser ? Pourquoi ne pas —

Projecteur de H à F 2.

F 2. — Je ne sais pas.

Projecteur de F 2 à F 1.

F 1. — Peut-être qu'elle est là quelque part,
assise devant la fenêtre ouverte, les mains jointes sur les genoux, le regard perdu dans le loin-
tain, par-delà les oliviers —

Projecteur de F 1 à H.

H. — Pourquoi ne pas me foudroyer sans
répit ? Je pourrais me mettre à délirer et
— (*hoquet*) — lâcher le morceau. Par —

Projecteur de H à F 2.

F 2. — Non.

Projecteur de F 2 à H.

H. — Don.

Projecteur de H à F 1.

F 1. — Par-delà les oliviers, puis la mer, se

demandant pourquoi il rentre si tard, sentant
le froid la gagner. Et par-dessus tout l'ombre
qui se coule. Se glisse. Oui.

Projecteur de F 1 à H.

H. — Dire que nous ne fûmes jamais ensemble —

Projecteur de H à F 2.

F 2. — Ne suis-je pas déjà un peu fêlée ?

Projecteur de F 2 à F 1.

F 1. — La pauvre. Les pauvres.

Projecteur de F 1 à H.

H. — Ne nous réveillâmes jamais ensemble,
en mai joli, le premier réveillé réveillant les
deux autres. Puis dans un petit youyou —

Projecteur de H à F 1.

F 1. — Pénitence, oui, à la rigueur, rachat,
j'y étais résignée, mais non, ça n'a pas l'air
d'être ça non plus.

Projecteur de F 1 à F 2.

F 2. — Je dis, Ne suis-je pas un peu fêlée
déjà ? (*Avec espoir.*) Un tout petit peu ? (*Un
temps.*) J'en doute.

Projecteur de F 2 à H.

H. — Un petit youyou —

Projecteur de H à F 1.

F 1. — Silence et noir, je n'en demandais pas plus. Eh bien, j'en reçois un peu, et de l'un et de l'autre, puisqu'ils ne font qu'un. C'est sans doute pécher encore que d'en implorer davantage.

Projecteur de F 1 à H.

H. — Un petit youyou, sur la rivière. Je lâche les avirons et regarde mes beautés, pâmées à l'arrière sur du Dunlop pillow. Au fil de l'eau. Ah rêves.

Projecteur de H à F 1.

F 1. — Lueur infernale.

Projecteur de F 1 à F 2.

F 2. — Un rien dérangée. Dans la tête. A peine un rien. J'en doute.

Projecteur de F 2 à H.

H. — Nous ne savions pas vivre.

Projecteur de H à F 1.

F 1. — Soif de noir à mourir. Et plus il fait noir plus ça va mal. Bizarre.

Projecteur de F 1 à H.

H. — Rêves. Pour jadis. Et maintenant —

Projecteur de H à F 2.

F 2. — Moi j'en doute.

Elle a un bref éclat de rire, faible et égaré, auquel le projecteur coupe court en passant à F 1.

F 1. — Oui, et la chose là, tout entière, à moins d'être aveugle. Tu la verras. Me lâcheras. Ou te lasseras.

Projecteur de F 1 à H.

H. — Et maintenant que toi tu n'es que... œil. Qu'un regard sans plus. Sur mon visage. A éclipses.

Projecteur de H à F 1.

F 1. — Te lasseras de jouer avec moi. Me lâcheras. Oui.

Projecteur de F 1 à H.

H. — Cherchant quelque chose. Sur mon visage. Quelque vérité. Dans mes yeux. Même pas.

*Projecteur de H à F 2 qui a le même rire
qu'avant auquel le projecteur coupe court de
nouveau en passant à H.*

Œil sans plus. Sans cerveau. S'ouvrant sur
moi et se refermant. Suis-je seulement —

*Le projecteur s'éteint. Noir. Trois secondes.
Projecteur sur H.*

Suis-je seulement... vu ?

*Le projecteur s'éteint. Noir. Cinq secondes.
Faibles projecteurs simultanément sur les trois
visages. Voix faibles.*

F 1, F 2, H *(ensemble)*

*Chœur du début.
Reprendre la pièce. (*)*

(*) La reprise peut se présenter comme une réplique parfaite, ou elle peut être variée.
Autrement dit, la lumière peut se comporter la
seconde fois exactement comme la première (réplique parfaite), ou elle peut changer de méthode (variation).
A Londres et à Paris on a cherché la variation,
de la façon suivante :
1. Introduction d'une moitié de chœur, coupé sur

H (*fin de la reprise*). — Suis-je seulement...
vu ?

Le projecteur s'éteint. Noir. Cinq secondes.
Forts projecteurs simultanément sur les trois
visages. Voix force normale.

---

le rire de F 2, avant d'amorcer la deuxième reprise.

2. Réduction de la lumière, et par conséquent du
volume vocal, dans la reprise, ce qui donne le schéma
suivant, A étant le niveau lumineux et vocal le plus
haut, E le plus bas :

C Premier chœur. ⟩
A Première partie de I. ⟩   I
B Seconde partie de I. ⟩

D Second chœur. ⟩
B Première partie de II. ⟩   Reprise I
C Seconde partie de II. ⟩

E Moitié de chœur. ⟩
C Fragment de III. ⟩   Amorce de reprise II.

3. Voix essoufflées depuis le début de la reprise
jusqu'à la fin de la pièce.

4. Ordre des répliques modifié, dans la mesure
où cela ne change rien à la continuité individuelle de
chaque acteur. Par exemple, l'ordre d'interrogation
F 1, F 2, H, F 2, F 1, H au début de I devient
F 2, F 1, H, F 2, H, F 1 au début de la reprise, et
ainsi de suite à volonté.

F 1, F 2, H (*ensemble*)

F 1. — Je lui dis, Laisse-la tomber —
F 2. — Un matin alors que je cousais —
H. — Nous n'étions pas longtemps ensemble —

Les projecteurs s'éteignent. Noir. Cinq secondes. Projecteur sur H.

H. — Nous n'étions pas longtemps ensemble —

Le projecteur s'éteint. Noir. Cinq secondes.

RIDEAU

(1963)

va-et-vient

DRAMATICULE

Traduit de l'anglais par l'auteur

pour John Calder

Au centre, côte à côte, face à la salle, assises très droites, mains jointes sur les genoux, Flo, Vi et Ru.

Silence.

Vi. — Ru.

Ru. — Oui.

Vi. — Flo.

Flo. — Oui.

Vi. — Quand c'était, la dernière fois, nous trois, ensemble ?

Ru. — Taisons-nous.

Silence.

Vi sort à droite.

Silence.

Flo. — Ru.

Ru. — Oui.

Flo. — Vi, quelle impression elle te fait ?

COMÉDIE ET ACTES DIVERS

Ru. — Comme toujours — plus ou moins.
(*Flo prend la place de Vi au milieu, chuchote
à l'oreille de Ru.*) Miséricorde ! (*Elles se regardent. Flo met son doigt devant la bouche.*)
Elle ne sait pas ?

FLO. — Dieu veuille que non !

*Entre Vi. Flo et Ru reviennent de face, re-
prennent la pose. Vi s'assied à la place de Flo.*

Silence.

FLO. — Comme ça, nous trois, sans plus,
comme jadis, chez les sœurs, dans la cour,
assises côte à côte.

Ru. — Sur la ba —

Vi. — Hssh !

Silence.

Flo sort à gauche.

Silence.

Ru. — Vi.

Vi. — Oui.

Ru. — Flo, comment tu la trouves ?

Vi. — Pareille — à peu près. (*Ru prend
la place de Flo au milieu, chuchote à l'oreille
de Vi.*) Malheur ! (*Elles se regardent. Ru met*

son doigt devant la bouche.) On ne lui a pas dit ?

Ru. — A Dieu ne plaise !

Entre Flo. Ru et Vi reviennent de face, reprennent la pose. Flo s'assied à la place de Ru.

Silence.

Ru. — Nous donnant la main — de cette façon à nous.

Flo. — Rêvant — d'amour.

Silence.

Ru sort à droite.

Silence.

Vi. — Flo.

Flo. — Oui.

Vi. — Ru, tu l'as vue ?

Flo. — Il fait sombre. (*Vi prend la place de Ru au milieu, chuchote à l'oreille de Flo.*) Misère ! (*Elles se regardent. Vi met son doigt devant la bouche.*) Elle ne se rend pas compte ?

Vi. — Que Dieu l'en préserve !

Entre Ru. Vi et Flo reviennent de face, reprennent la pose. Ru s'assied à la place de Vi.

Silence.

VI. — On ne peut pas parler du vieux temps ? (*Silence.*) De ce qui vint après ? (*Silence.*) Si nous nous donnions la main — de cette façon à nous ?

Au bout d'un moment elles unissent leurs mains comme suit : la droite de Vi avec la droite de Ru sur les genoux de Ru, la gauche de Vi avec la gauche de Flo sur les genoux de Flo, la droite de Flo avec la gauche de Ru sur les genoux de Vi, les bras de Vi reposant sur le bras gauche de Ru et le bras droit de Flo.

Silence.

FLO. — Ru. (*Silence.*) Vi. (*Silence.*) Je sens les bagues.

Silence.

Rideau

NOTES

PLACES SUCCESSIVES

1		Flo	Vi	Ru
2	{	Flo		Ru
			Flo	Ru

3		Vi	Flo	Ru
4	{	Vi		Ru
		Vi	Ru	
5		Vi	Ru	Flo
6	{	Vi		Flo
			Vi	Flo
7		Ru	Vi	Flo

ECLAIRAGE

Faible, d'en dessus seulement et concentré sur le siège. Le reste de la scène dans l'obscurité.

COSTUME

Manteaux très longs, boutonnés jusqu'au cou, violet sombre (Ru), rouge sombre (Vi), jaune sombre (Flo). Chapeaux sombres quelconques à bords assez larges pour que les visages soient dans l'ombre. Les trois personnages aussi ressemblants que possible, différenciés par la couleur seule. Chaussures légères, semelles caoutchouc. Mains rendues aussi visibles que possible par le maquillage. Pas de bagues apparentes.

SIÈGE

Genre banc étroit sans dossier, juste assez long pour que puissent y tenir les trois femmes se touchant presque. Aussi peu visible que possible. A se demander sur quoi elles sont assises.

— 43 —

COMÉDIE ET ACTES DIVERS

SORTIES

*On ne voit pas les personnages sortir en coulisse.
Ils doivent disparaître dans l'obscurité à quelques
pas de la zone éclairée et de même, quand ils repa-
raissent, être déjà tout près du siège. Sorties et en-
trées soudaines et légères, sans bruit de pas.*

VOIX

*A la limite de l'audibilité. Détimbrées à part l'ex-
clamation à la suite de la confidence chuchotée et les
deux répliques suivantes.*

(1965)

cascando

PIÈCE RADIOPHONIQUE
POUR MUSIQUE ET VOIX

Musique : Marcel Mihalovici

OUVREUR (*sec*). — Moi je suis au mois de mai.

Un temps.

Oui, c'est juste.

Un temps.

J'ouvre.

VOIX (*bas, haletant*). — histoire... si tu pouvais la finir... tu serais tranquille... pourrais dormir... pas avant... oh je sais... j'en ai fini... des mille et des une... fait que ça... ça ma vie... en me disant... finis celle-ci... c'est la bonne... après tu seras tranquille... pourras dormir... plus d'histoires... plus de mots... et la finissais... et pas la bonne... pas tranquille... tout de suite une autre... à commencer... à finir... en me disant... finis celle-ci... après tu seras tranquille... cette fois c'est la bonne... cette fois tu la tiens... et la finissais... et pas la bonne... pas tranquille... tout de suite une autre... mais celle-ci... c'est différent... je vais la finir... je serai tranquille... c'est la bonne... cette fois je la tiens... cette fois j'y suis... Maunu... je reprends... une vie bien longue déjà... quoi que l'on dise... quelques malheurs... ça suffit... cinq ans plus tard... dix ans... je ne sais plus... Maunu... il a changé... pas assez... on le reconnaît... dans la baraque... encore une... il attend la nuit... qu'il fasse nuit... pour sortir... aller ailleurs... dormir ailleurs... c'est long... il lève la tête... de temps en temps... regarde la vitre... elle brunit... la terre brunit... il se lève... genoux d'abord... puis debout... se glisse dehors... Maunu... même vieux manteau... à droite la mer... à gauche les collines... il a le choix... il n'a qu'à —

Ouvreur (*avec Voix*). — Et je referme.

Silence.

J'ouvre l'autre.

Musique. — — — — — — — — — —

Ouvreur (*avec Musique*). — Et je referme.

Silence.

J'ouvre les deux.

Voix
Musique (*ensemble*). — avance... elle avance... la finir... ne pas lâcher... après tu seras
tranquille... pourras dormir... pas avant... la
finir... c'est la bonne... tu la tiens... tu y es...
quelque part... Maunu... tu le tiens... le suivre... ne plus le lâcher... histoire Maunu... elle
avance... la finir... puis dormir... plus d'histoires... plus de mots... allons... la suite... la —

Ouvreur (*avec Voix et Musique*). — Et
je referme.

Silence.

Et recommence.

Voix. — descend... pente douce... chemin
creux... trembles géants... vent dans les cimes...
au loin la mer... Maunu... même vieux manteau... il avance... il s'arrête... personne... pas

encore... nuit trop claire... quoi que l'on dise...
le talus... il rase le talus... même vieux bâton...
Maunu... il descend... il tombe... exprès ou
pas... je ne vois pas... il est par terre... c'est
le principal... le visage dans la boue... bras
déployés... allons bon... ça y est déjà... hé non...
pas encore... il se relève... genoux d'abord...
mains à plat... dans la boue... tête basse... puis
debout... énorme... allons... il repart... il descend... allons... dans sa tête... voir dans sa
tête... un abri... lieu sûr... un creux... dans les
dunes... une grotte... vague souvenir... d'une
grotte... dans sa tête... il descend... moins d'ar-
bres... plus de talus... il a changé... pas assez...
nuit trop claire... bientôt les dunes... plus rien
qui cache... il s'arrête... personne... il —

Silence.

MUSIQUE. — — — — — — — — — —

Silence.

VOIX
MUSIQUE *(ensemble).* — tranquille... dor-
— — — — — — — —

mir... plus d'histoires... plus de mots... ne pas

— — — — — — — — — — — —

lâcher... c'est la bonne... ça y est... presque...

— — — — — — — — — — — —

— 50 —

j'y suis... quelque part... Maunu... je le tiens...

— — — — — — — — — — — — — — —

ne plus le lâcher... le suivre... jusqu'au bout...

— — — — — — — — — — — — — — —

allons... cette fois... c'est la bonne... finir...

— — — — — — — — — — — — — —

dormir... Maunu... allons —

— — — — — — — —

Silence.

OUVREUR. — Comme ça, à volonté.
On dit, C'est dans sa tête.
Mais non, j'ouvre.

VOIX. — tombe... retombe... exprès ou pas...
je ne vois pas... il est par terre... c'est l'essentiel... le visage dans le sable... bras déployés... dunes blanches... tout à fait... même
vieux manteau... nuit trop claire... quoi que
l'on dise... mer plus fort... tonnante... crinières
blanches... Maunu... sa tête... voir dans sa
tête... la paix... la paix revenue... dans sa tête...
plus à aller... plus à chercher... dormir... hé
non... pas encore... il se relève... genoux
d'abord... mains à plat... dans le sable... tête
basse... puis debout... sur pied... énorme...

masse énorme... même vieux chapeau... enfoncé... vastes bords... allons... il s'ébranle... lourde masse... dans le sable... jusqu'au mollet... il descend... mer —

OUVREUR (*avec Voix*). — Et je referme.

Silence.

J'ouvre l'autre.

MUSIQUE. — — — — — — — — — — —

OUVREUR (*avec Musique*). — Et je referme.

Silence.

Comme ça, à volonté.

C'est ma vie, je vis de ça.

Un temps.

Oui, c'est juste.

Un temps.

Qu'est-ce que j'ouvre ?

On dit, Il n'ouvre rien, il n'a rien à ouvrir, c'est dans sa tête.

On ne me voit pas, on ne voit pas ce que je fais, on ne voit pas ce que j'ai, et on dit, Il n'ouvre rien, il n'a rien à ouvrir, c'est dans sa tête.

Je ne proteste plus, je ne dis plus, Il n'y a rien dans ma tête.

Je ne réponds plus.

J'ouvre et referme.

Voix. — lumières... de la terre... de l'île... du ciel... il n'a qu'à... lever la tête... les yeux... il les verrait... l'éclairer... mais non... il —

Silence.

Musique (*brève*). — — — — — — —

Silence.

Ouvreur. — On dit, Ce n'est pas ça sa vie, il ne vit pas de ça.

On ne me voit pas, on ne voit pas ce que c'est ma vie, on ne voit pas de quoi je vis, et on dit, Ce n'est pas ça sa vie, il ne vit pas de ça.

Un temps.

J'en ai vécu... assez vieux.

Suffisamment.

Ecoutez.

Voix (*faiblissant*). — cette fois... j'y suis... Maunu... c'est lui... je l'ai vu... je le tiens... allons... même vieux manteau... il descend...

tombe... retombe... exprès ou pas... je ne vois
pas... par terre... ça qui compte... allons —

OUVREUR (*avec Voix*). — Je donne le maximum.

VOIX. — visage... dans les galets... plus de
sable... que des galets... allons bon... ça y est...
cette fois... hé non... pas encore... il se relève...
genoux d'abord... mains à plat... sur les galets...
tête basse... puis debout... sur pied... masse
énorme... Maunu... plus vite... il s'ébranle... il
descend... il —

Silence.

MUSIQUE (*faiblissant*). — — — — — —

OUVREUR (*avec Musique*). — Le maximum.

Silence.

Ce n'est pas tout.
J'ouvre les deux.
Ecoutez.

VOIX   — dormir... plus
MUSIQUE   (*ensemble*). — — — — — — —
chercher... le chercher... dans l'ombre... le voir...
— — — — — — — — — — — — —
le dire... pour qui... c'est ça... n'importe... ja-
— — — — — — — — — — — — —

mais lui... jamais le bon... recommencer... dans
— — — — — — — — — — — — — —
l'ombre... plus de ça... cette fois... c'est la
— — — — — — — — — — — — — —
bonne... ça y est... presque... finir —
— — — — — — — — — —

Silence.

OUVREUR. — D'un astre à l'autre, on dirait
qu'ils tombent d'accord.
Nous n'en avons plus pour longtemps.
C'est bien.

VOIX *(ensemble).* — presque... je le
MUSIQUE — — — — — — —
tiens... je l'ai vu... je l'ai dit... ça y est... pres-
— — — — — — — — — — — — — —
que... plus d'histoires... toutes fausses... cette
— — — — — — — — — — — — —
fois... c'est la bonne... je le tiens... la finir...
— — — — — — — — — — — — —
dormir... Maunu... c'est lui... je le tiens... le
— — — — — — — — — — — — —
suivre... jusqu'au —
— — — — — —

Silence.

OUVREUR. — C'est bien.

Un temps.

Oui, c'est juste, au mois de mai.

Vous savez, le renouveau.

Un temps.

J'ouvre.

VOIX. — ni bancs... ni barre... ni rames... à flot... d'un bond... revient... échoue... s'arrache... s'éloigne... Maunu... il le remplit... tout le fond... visage contre les planches... bras déployés... même vieux manteau... mains serrant les... les plats-bords... non... je ne sais pas... je le vois... il s'agrippe... prend le large... cap incertain... sur l'île... puis plus... ailleurs —

Silence.

MUSIQUE. — — — — — — — — — — —

Silence.

OUVREUR. — On disait, C'est de lui, c'est sa voix, c'est dans sa tête.

Un temps.

VOIX. — plus vite... ça cingle... se cabre...

pique du nez... cap sur l'île... puis plus... ailleurs... partout... cap partout... lumières —

Silence.

Ouvreur. — Aucune ressemblance.
Je répondais, Et ça...

Musique (*brève*). — — — — — — —

Ouvreur. — ... c'est de moi aussi ?
Mais je ne réponds plus.
D'ailleurs on ne dit plus rien.
On s'est sauvé.
C'est bien.

Un temps.

Oui, au mois de mai, c'est juste, fin mai.
Les jours longs.

Un temps.

J'ouvre.

Un temps.

J'ai peur d'ouvrir.
Mais je dois ouvrir.
Donc j'ouvre.

Voix. — allons... Maunu... bras déployés...
même vieux manteau... visage dans l'eau... il

s'agrippe... l'île loin... cap au large... large partout... plus de terre... sa tête... voir dans sa tête... Maunu —

OUVREUR (*avec Voix*). — Allons ! Allons !

VOIX. — enfin... plus à aller... chercher ailleurs... toujours ailleurs... ça y est... presque... Maunu... tenir bon... ne pas lâcher... lumières... de la terre... quelques-unes... presque plus... trop loin... trop tard... du ciel... celles-là... si l'on veut... quoi que l'on dise... qu'à se mettre... sur le dos... il les verrait... l'éclairer... mais non... il s'agrippe... Maunu... il a changé... presque assez —

Silence.

MUSIQUE. — — — — — — — — — —

OUVREUR (*avec Musique*). — Bon Dieu.

MUSIQUE. — — — — — — — — — —

Silence.

OUVREUR. — Bon Dieu bon Dieu.

Un temps.

Je me demandais autrefois, Qu'est-ce que c'est ?

Je répondais, quelquefois, C'est la promenade.

Deux promenades.

Puis le retour.

Où ?

Au village.

A l'auberge.

Deux promenades, puis le retour, ensemble, au village, à l'auberge, par le seul chemin qui y mène.

Une image, comme une autre.

Mais je ne réponds plus.

J'ouvre.

VOIX
MUSIQUE *(ensemble)*. — pas lâcher... la fi-
— — — — — — —
nir... c'est la bonne... je la tiens... cette fois...
— — — — — — — — — — — — — — —
ça y est... presque... Maunu —   .
— — — — — — — — — —

OUVREUR *(avec Voix et Musique)*. — On dirait qu'ils se donnent le bras.

VOIX
MUSIQUE *(ensemble)*. — dormir... plus
— — — — — — —
d'histoires... allons... Maunu... c'est lui... le
— — — — — — — — — — — — — — —

voir... le dire... jusqu'au bout... ne pas lâcher —

— — — — — — — — — — — — — — —

OUVREUR (*avec Voix et Musique*). — C'est bien.

VOIX
MUSIQUE (*ensemble*). — presque... encore

— — — — — — —

quelques... encore quelques... j'y suis... pres-

— — — — — — — — — — — — — —

que... Maunu... c'est lui... c'était lui... je l'ai

— — — — — — — — — — — — — —

vu... presque —

— — — — —

OUVREUR (*avec Voix et Musique, ton pénétré*). — C'est bien !

VOIX
MUSIQUE (*ensemble*). — fois... c'est la

— — — — — — —

bonne... finir... plus d'histoires... dormir... ça y

— — — — — — — — — — — — — —

est... presque... encore quelques... ne pas lâ-

— — — — — — — — — — — — — —

cher... Maunu... il s'agrippe... allons... allons...

— — — — — — — — — — — — — —

Silence.

(1963)

paroles et musique

PIÈCE RADIOPHONIQUE

Musique : John Beckett

Traduit de l'anglais par l'auteur

Musique. *Petit orchestre en train de s'accorder doucement.*

Paroles. — Pitié ! (*Orchestre. Plus fort.*)
Pitié ! (*L'orchestre faiblit, se tait.*) Combien de
temps encore à moisir ici dans le noir ? (*Avec
dégoût.*) Avec toi ! (*Un temps.*) Thème... (*Un
temps.*) Thème... la paresse. (*Un temps. Mécani-
que, d'une traite, bas.*) La paresse est de toutes
les passions la passion la plus puissante et à vrai
dire il n'est nulle passion plus puissante que
la passion de la paresse, elle est de toutes les
tempêtes qui dévastent l'être la tempête qui le
dévaste le plus et à vrai dire — (*L'orchestre reprend plus fort. Fort, implorant.*) Pitié ! (*L'orchestre faiblit, se tait.*) La tempête qui le dévaste le plus et à vrai dire il n'est nulle tempête qui autant que celle-là dévaste l'être à
ce point, par passion entendre un mouvement
de l'âme qui de plaisir saisie voire de douleur
réels ou imaginés réels zou imaginés s'y préci-

pite ou s'enfuit, de tous ces mouvements et qui saurait les nombrer de tous ces mouvements et ils sont légion la paresse est celui qui meut le plus et à vrai dire il n'est nul mouvement qui autant que celui-ci celle-ci celle-là meut l'âme dans un sens comme dans l'autre nul mouvement de l'âme qui autant que celle-là meut l'âme à ce point dans un sens comme — (*Un temps.*) Dans l'autre. (*Un temps.*) Ecoute ! (*Bruit de pantoufles traînantes. C'est Croak qui arrive de son pas le meilleur.*) Enfin ! (*Pantoufles plus fort. L'orchestre reprend.*) Silence !

L'orchestre se tait. Pantoufles plus fort. Silence.

CROAK. — Jo.

PAROLES (*humblement*). — Milord.

CROAK. — Bob.

MUSIQUE. *Humble « Présent » en sourdine.*

CROAK. — Mes réconforts ! Soyez amis. (*Un temps.*) Bob.

MUSIQUE. *Comme avant.*

CROAK. — Jo.

PAROLES (*humblement*). — Milord.

CROAK. — Soyez amis. (*Un temps.*) J'ai du retard. Pardonnez. (*Un temps.*) Le visage. (*Un temps.*) Dans l'escalier. (*Un temps.*) Pardonnez. (*Un temps.*) Jo.

PAROLES (*humblement*). — Milord.

CROAK. — Bob.

MUSIQUE. *Comme avant.*

CROAK. — Pardonnez. (*Un temps.*) Dans la tour. (*Un temps.*) Le visage. (*Un temps.*) Bougies. (*Un temps long.*) Thème ce soir... (*Un temps.*) Thème ce soir... l'amour... (*Un temps.*) L'amour. (*Un temps.*) Ma masse. (*Un temps.*) Jo.

PAROLES (*humblement*). — Milord.

CROAK. — L'amour. (*Un temps. Coup de masse contre le sol.*) L'amour !

PAROLES (*avec emphase*). — L'amour est de toutes les passions la passion la plus puissante et à vrai dire il n'est nulle passion plus puissante que la passion de l'amour. (*Toussote.*) Il est de tous les orages qui dévastent l'être l'orage qui le dévaste le plus et à vrai dire il n'est nul orage qui autant que celui-là dévaste l'être à ce point.

Un temps.

CROAK. *Soupir déchirant. Masse contre sol.*

PAROLES. — Par passion entendre un mouvement de l'âme qui de plaisir saisie voire de douleur réels zou imaginés s'y précipite ou s'enfuit. (*Toussote.*) De tous ces —

CROAK (*angoissé*). — Oh !

PAROLES. — De tous ces mouvements et ils sont légion la paresse est *l'amour* est celui qui meut le plus et à vrai dire il n'est nul mouvement de l'âme qui autant que celui-là meut l'âme à ce point dans un sens comme —

Violent coup de masse contre le sol.

CROAK. — Bob !

PAROLES. — Dans l'autre.

MUSIQUE. *Comme avant.*

CROAK. — L'amour !

MUSIQUE. *Coup de baguette sur un pupitre. Musique amour exagérément expressive, assez douce pour laisser entendre les gémissements et*

protestations. — « *Non !* », « *Pitié !* », *etc.* —
de Paroles.

Silence.

CROAK (*angoissé*). — Oh ! (*Coup de masse.*)
Plus fort !

MUSIQUE. *Violent coup de baguette et même
musique fortissimo, sans expression aucune,
empêchant d'entendre les protestations de Paroles.*

Silence.

CROAK. — Mes réconforts. (*Un temps.*) Jo
chéri.

PAROLES (*avec emphase*). — Oh cœur
sphinx énigmes sans mot —

CROAK. *Gémissements.*

PAROLES. — A savoir cet amour quel est
cet amour qui plus fort que les sept mortels et
autres grands moteurs de l'âme meut ainsi
l'âme et l'âme quelle est cette âme qui plus
fort que par ses autres moteurs par l'amour
est ainsi mue ? (*Prosaïque.*) L'amour de la
femme s'entend, si c'est ainsi que l'entend Milord.

CROAK. — Las !

PAROLES. — Enigmes. (*Solennel.*) Est-ce bien le mot, amour ? (*Un temps.*) Ame, est-ce bien le mot ? (*Un temps.*) En disant amour entendons-nous l'amour ? (*Un temps.*) L'âme en disant âme ? (*Un temps.*) Oui ?

CROAK (*angoissé*). — Oh ! (*Un temps.*) Bob chéri.

PAROLES. — Ou non ?

CROAK (*coup de masse*). — Bob !

MUSIQUE. *Coup de baguette et suite musique amour, avec audibles protestations de Paroles.*

Silence.

CROAK (*angoissé*). — Oh ! (*Un temps.*) Mes consolations ! (*Un temps.*) Jo.

PAROLES (*humblement*). — Milord.

CROAK. — Bob.

MUSIQUE. « *Présent* » *comme avant.*

CROAK. — Mes beaumes ! (*Un temps.*) Vieillesse. (*Un temps.*) Jo. (*Un temps. Coup de masse.*) Jo !

PAROLES (*humblement*). — Milord.

CROAK. — Vieillesse !

Un temps.

PAROLES (*bafouillant*). — Vieillesse est lorsque... lorsque... de l'homme s'entend... si c'est ainsi que l'entend Milord... vieillesse est lorsque... si vous êtes un homme... étiez un homme... à croupetons... crachotant... sur les tisons...

Violent coup de masse.

CROAK. — Bob. (*Un temps.*) Vieillesse. (*Un temps. Violent coup de masse.*) Vieillesse !

MUSIQUE. *Coup de baguette et musique vieillesse qu'interrompt bientôt un violent coup de masse.*

CROAK. — Ensemble. (*Un temps. Coup de masse.*) Ensemble ! (*Un temps. Violent coup de masse.*) Ensemble, chiens !

MUSIQUE. *Donne longuement le la.*

PAROLES (*implorant*). — Non !

Violent coup de masse.

CROAK. — Chiens !

MUSIQUE. *La.*

PAROLES (*essayant de chanter*). — Vieillesse est lorsque... à croupetons...

MUSIQUE. *Correction.*

PAROLES (*essayant de suivre la correction*). — Vieillesse est lorsque à croupetons...

MUSIQUE. *Suggestion pour la suite.*

PAROLES (*essayant de suivre la suggestion*). — Crachotant... sur les tisons... (*Un temps. Violent coup de masse.*) Le temps que la bourgeoise... ait fini... finisse... de bassiner...

MUSIQUE. *Correction.*

PAROLES (*essayant de suivre la correction*). — Le temps que la sorcière finisse de bassiner...

MUSIQUE. *Suggestion pour la suite.*

PAROLES (*essayant de suivre la suggestion*). — Et t'apporte ton... cacao... (*Un temps. Violent coup de masse.*) Et t'apporte ton arrowroot...

Un temps. Furieux coup de masse.

CROAK. — Chiens !

MUSIQUE. *Suggestion pour la suite.*

PAROLES (*essayant de suivre la suggestion*). — Tu la vois venir... dans les cendres... qui

aimée... aimée... ne put... ne fut... pas con-
quise... ou... ou...

MUSIQUE. *Répète la fin de la suggestion précédente.*

PAROLES (*essayant de suivre*). — Ou con-
quise pas aimée. (*Avec lassitude.*) Ce genre
d'ennui... (*Un temps.*) Venir dans les cendres...
comme dans cette vieille —

MUSIQUE. *Interrompt avec correction et
brève suggestion pour la suite.*

PAROLES (*essayant de suivre*). — Venir
dans les cendres comme dans cette vieille lumière... son visage... dans les cendres...

CROAK. *Gémissements.*

MUSIQUE. *Suggestion pour la suite.*

PAROLES (*essayant de suivre*). — Vieille
lumière... de la lune... là dehors de nouveau...
répandue... sur la terre.

Un temps.

MUSIQUE. *Brève suggestion pour la suite.*

Silence.

CROAK. *Gémissements.*

MUSIQUE. *Joue l'air entier, puis invite Pa-*

roles avec le début. Un temps. Invite de nouveau.

PAROLES (*essayant de chanter, doucement, accompagné doucement de Musique*).

> Vieillesse est lorsque à croupetons
> Crachotant sur les tisons
> Le temps que la sorcière
> Finisse de bassiner
> Et t'apporte ton arrow-root
> Tu la vois venir
> Dans les cendres qui aimée
> Ne fut pas conquise
> Ou conquise pas aimée
> Ce genre d'ennui
> Venir dans les cendres
> Comme dans cette vieille lumière
> Le visage dans les cendres
> Vieille lumière des étoiles
> Là dehors sur la terre
> A nouveau répandue

Silence.

CROAK (*bas*). — Le visage. (*Un temps.*) Le visage. (*Un temps.*) Le visage.

MUSIQUE. *Coup de baguette et musique visage chaleureusement sentimentale.*

Silence.

CROAK. — Le visage.

Un temps.

PAROLES (*froid*). — Vue d'en dessus dans cette clarté si froide et... obscure...

MUSIQUE. *Suggestion chaleureuse.*

PAROLES (*sans en tenir compte, froid*). — Vue d'en dessus et de si près dans cette clarté obscure et froide d'un œil encore voilé par ce qui vient de... se produire, sa beauté vraiment... perçante est quelque peu...

Un temps.

MUSIQUE. *Répète timidement suggestion précédente.*

PAROLES (*interrompant, violent*). — La paix !

CROAK. — Mes réconforts ! Soyez amis !

PAROLES. — ... émoussée. Au bout d'un moment cependant, telle est la puissance de récupération à cet âge, de la vie, la tête recule de quelques pieds, les yeux s'ouvrent tout grands et se remettent à faire festin. (*Un temps.*) Ce qui se voit alors se serait mieux vu à la lumière du jour, cela est incontestable.

Mais que de fois déjà ainsi, dans les semaines et les mois précédents, que de fois, à toute heure, sous tous les angles, par tous les temps, je veux dire ainsi vu. Et il y a, n'est-ce pas, dans cette pénombre d'argent... cette pénombre d'argent... n'est-ce pas, Milord ? (*Un temps.*) De loin en loin le seigle, qu'un souffle d'air balance, jette et retire son ombre.

CROAK. *Gémissements.*

PAROLES. — Laissant de côté les traits ou linéaments à proprement parler, exquis chacun pris à part et dans leur agencement —

CROAK. *Gémissements.*

PAROLES. — Roue de la noire chevelure en désordre comme si éparse sur l'eau, le front barré d'une ride profonde telle qu'en creuse la douleur mais ici à attribuer tout compte fait plutôt à l'attention extrême qu'exige je ne sais quel transport intime, les cils... (*Un temps.*) ... les narines... rien... un peu pincées si l'on veut, les lèvres —

CROAK (*angoissé*). — Lily !

PAROLES. — Serrées, sur l'inférieure une lueur d'émail qui mord, pas de corail, pas de pulpe, alors qu'habituellement...

CROAK. *Gémissements.*

PAROLES. — ... le tout si blanc et immobile que n'était le tumulte des seins que le souffle écarte en les soulevant et ramène ensuite à leur... ouverture normale —

MUSIQUE. *Irrépressible explosion de musique seins avec vaines protestations de Paroles.*

Silence.

PAROLES (*ton de douce remontrance*). — Voyons Milord ! (*Un temps. Faible coup de masse.*) Pâle immobile et ravi hors de soi au point de paraître aussi peu de cette terre que Mira de la Baleine qui elle cette nuit-là, dans tout l'éclat de sa deuxième et dernière grandeur, déversait comme on dit, l'œil nu collé au cristallin, sa froide lumière. (*Un temps.*) Au bout d'un moment cependant, telle est la puissance —

CROAK (*angoissé*). — Non !

PAROLES. — Le front se rassérène, les lèvres s'écartent et les yeux... (*un temps*)... le front se rassérène, les narines se dilatent, les lèvres s'écartent et les yeux... (*un temps*)... les lèvres s'écartent, les joues reprennent un peu

de couleur et les yeux... (*révérencieusement*)...
s'ouvrent. (*Un temps.*) Puis un peu dedans...
(*Un temps. Le ton se fait lyrique. Bas.*)

> Puis un peu dedans
> A travers l'ordure
> Jusqu'au... vers le...

Un temps.

MUSIQUE. *Discrète suggestion.*

PAROLES (*essayant de suivre en chantant*).

> Puis un peu dedans
> A travers l'ordure
> Vers le noir où...

Un temps.

MUSIQUE. *Discrète suggestion pour la suite.*

PAROLES (*essayant de suivre*).

> Fini de mendier
> Fini de donner
> Plus de mots plus de sens
> Fini d'avoir besoin...

Un temps.

MUSIQUE. *Discrète suggestion pour la suite.*

PAROLES (*essayant de suivre*).

A travers l'immondice
Un peu plus bas
Jusqu'au noir d'où
La source s'entrevoit

Un temps.

MUSIQUE. *Invite avec le début de l'air. Un temps. Invite de nouveau.*

PAROLES (*essayant de chanter, doucement, accompagné doucement de Musique*).

Puis un peu dedans
A travers l'ordure
Vers le noir où
Fini de mendier
Fini de donner
Plus de mots plus de sens
Fini d'avoir besoin
A travers l'immondice
Un peu plus bas
Jusqu'au noir d'où
La source s'entrevoit.

(*Un temps. Saisi.*) Milord ! (*Bruit de la masse qui tombe. De même.*) Milord ! (*Bruit de pantoufles traînantes qui s'éloignent, s'arrêtent, s'éloignent. Silence.*) Bob. (*Un temps.*) Bob !

MUSIQUE. *Brève réplique grossière.*

PAROLES. — Musique. (*Un temps. Implorant.*) Musique !

Un temps.

MUSIQUE. *Coup de baguette et récapitulation des musiques précédentes ou musique source seule.*

Un temps.

PAROLE. — Encore. (*Un temps. Implorant.*) Encore !

MUSIQUE. *Répète dernière musique telle quelle ou à peine variée.*

Un temps.

PAROLES. *Profond soupir.*

(1962)

dis joe

PIÈCE POUR LA TÉLÉVISION

Traduit de l'anglais par l'auteur

Joe, *la cinquantaine, cheveux gris, robe de chambre, pantoufles, dans sa chambre.*

1. *Vu de dos assis sur le bord de son lit, pose tendue. Il se lève, va à la fenêtre, l'ouvre, regarde dehors, ferme la fenêtre, tire le rideau, s'immobilise, pose tendue.*

2. *Id. (vu de dos), va de la fenêtre à la porte, l'ouvre, regarde dehors, ferme la porte à clef, met la clef dans sa poche, tire la tenture devant la porte, s'immobilise, pose tendue.*

3. *Id., va de la porte au placard, l'ouvre, regarde dedans, ferme le placard à clef, met la clef dans sa poche, s'immobilise, pose tendue.*

4. *Id., va du placard au lit, se met à quatre pattes, regarde sous le lit, se relève, s'assied sur le lit à la même place qu'au début, commence à se détendre.*

5. *Vu de face assis sur le lit, détendu, yeux fermés. Un temps, puis la caméra avance lentement jusqu'à ce que le visage paraisse en gros*

plan. *Le premier mot du texte arrête ce mouvement.*

CAMÉRA.

Commence par suivre le personnage à une distance constante et suffisante pour qu'il apparaisse toujours en pied. Ensuite, entre le premier gros plan du visage et le dernier, une série de mouvements très lents en avant, neuf en tout, d'une dizaine de centimètres chacun, la rapproche du visage. Donc une progression d'un mètre environ entre le premier gros plan, quand la voix arrête le mouvement pour la première fois, et le gros plan final. La voix en reprenant arrête net chacun de ces neuf mouvements d'approche de la caméra qui ne doit plus bouger jusqu'à ce que la voix marque un temps d'arrêt (fin de paragraphe). Un temps de trois secondes environ entre l'arrêt de la voix et le début du mouvement d'approche, celui-ci se poursuivant pendant quatre secondes environ avant d'être arrêté par la voix qui reprend.

VOIX.

De femme, basse, nette, lointaine, peu de couleur, débit un peu plus lent que le débit normal et strictement maintenu. Un temps entre les phrases d'une seconde au moins, entre les paragraphes de sept secondes environ, soit trois avant que la caméra amorce son avance et quatre jusqu'à ce que celle-ci soit arrêtée par la voix qui reprend.

VISAGE.

Pratiquement immobile d'un bout à l'autre, pas de cillements pendant les paragraphes, impassible sauf dans la mesure où il reflète la tension croissante de l'écoute. Brèves détentes entre les paragraphes où, la voix s'étant peut-être désistée jusqu'au lendemain, la tension peut se relâcher de diverses façons jusqu'à ce qu'elle soit rétablie par la voix qui reprend.

Voix de femme.

Joe...

Il rouvre les yeux, écoute.

Joe...

Pleine écoute.

Pensé à tout ?... Rien oublié ?... Te voilà paré, hein ?... Hors de vue... Hors d'atteinte... Tu n'éteins pas ?... Pas peur qu'une punaise ne te voie ?... Dis Joe... Tu ne rentres pas dans le lit ?... Qu'est-ce qu'il t'a fait, ce lit ?... Tu l'as changé, non ?... Ça n'a rien arrangé ?... Ou c'est le cœur déjà ?... Tombe en miettes quand tu te couches dans le noir... Vermoulu enfin... Dis Joe...

La caméra avance.

Demain bonheur, tu m'as dit... La dernière fois... En m'enfilant mon manteau... Galant jusqu'au bout... Demain bonheur... Dis-le encore, Joe, personne ne t'écoute... Allons, Joe, avec l'accent, dis-le encore et écoute-toi... Demain bonheur... Vrai pour une fois... Tout compte fait...

La caméra avance.

Tu sais cet enfer de quatre sous que tu appelles ta tête... C'est là où tu m'entends, non ?... Dans ton idée... Là où tu entendais ton père... Pas ça que tu m'as dit ?... Là où il s'est mis à te dire des choses... Une nuit de juin... Pour ne plus s'arrêter pendant des années... Avec des trous... Derrière tes yeux... Si bien que tu as pu l'avoir à la fin... Etouffé... Du serre-kiki mental comme tu disais... Une de tes plus heureuses formules... Sans quoi il serait encore à t'agonir... Puis ta mère quand ce fut son heure... « Le ciel, Joe, le ciel, on t'a à l'œil »... De plus en plus faible jusqu'à ce que tu l'achèves... Puis les autres... Toute la chiennerie... L'amour qu'on t'a donné !... Dieu sait pourquoi... Cousu de pitié... Ce qu'on fait de plus solide... Et te voilà à présent... Une seule passion... Tuer tes morts dans ta tête...

La caméra avance.

Un vivant quelque part pour t'aimer aujourd'hui ?... Un vivant quelque part pour te plaindre ?... Dis Joe... Cette pisseuse qui vient le samedi, c'est payant, non ?... Tant la saillie... Ça ne doit pas te ruiner... Attention de ne pas te trouver à court... Jamais pensé à ça ?... Dis Joe... Si tu étais à court de nous... Plus âme morte qui vive à éteindre... Plus qu'à croupir sur ton lit dans ta vieille douillette puante à t'écouter toi-même... Cet adorateur de toujours... De plus en plus faible jusqu'à plus couic là non plus... Ça que tu veux ?... Bon pied bon œil et le silence du tombeau... Ce paradis des pauvres ressassé toute ta vie... Dis Joe...

La caméra avance.

L'organe que j'avais au départ !... Quand
je m'y suis mise... A te dire des choses...
Dis Joe... De l'argent !... Comme ces soirs
d'été sous les ormes... Au milieu des colom-
bes... Nous tenant la main échangeant les ser-
ments... Que ma diction te plaisait !... Un ra-
vissement de plus... Du cristal de roche ma
voix... Pour emprunter ton expression... Ah
pour frapper une phrase... Du cristal de roche...
Tu ne pouvais t'en rassasier... Un peu voilée à
présent... La gorge... Combien de temps encore
selon toi ?... Jusqu'au souffle... Tu sais, quand
le sens t'échappe... Juste un petit mot par-ci
par-là... C'est ça le pire, non ?... Dis Joe... Pas
ça que tu m'as dit ?... Nos extrémités... Le petit mot par-ci par-là... L'effort pour saisir...
Pourquoi ça, Joe ?... Qu'est-ce qui te fait faire
ça ?... Quand tu es presque rendu... Qu'importe à ce moment-là ?... Ce que nous chantons
là... Ça devrait être le meilleur... Presque
rendu encore une fois... Encore un d'asphyxié...
Et c'est le pire... Pas ça que tu m'as dit ?...
Le souffle... Le petit mot par-ci par-là... L'effort
pour saisir... La tête lasse de serrer... Ça finit
par s'arrêter... Tu finis par l'arrêter... Et si tu
n'y arrivais pas ?... Jamais pensé à ça ?... Dis

Joe... Si ça continuait... Le souffle dans ta tête...
Moi dans ta tête te soufflant des choses... Dont
le sens t'échappe... Jusqu'à ce que tu viennes...
Te joindre à nous... Dis Joe...

La caméra avance.

Comment va Ton-Seigneur ces temps-ci ?...
Toujours profitable ?... Toujours le flanc ouvert ?... A la passion de Notre-Joe... Attends
que Lui s'y mette... A te dire des choses...
Quand tu en auras fini avec toi... Tous tes
morts remords... Vissé sur ton lit dans ta
pourriture... Santé passable pour une ruine
pareille... Vague bubon temps à autre... Silence
du tombeau sans les vers... Pour prix de tes
efforts... Jusqu'à ce que, une nuit... « Insensé
ton âme »... Du fil à retordre pour tes thugs...
Jamais pensé à ça ?... Dis Joe... Quand Lui
s'y mettra... A te dire des choses... Quand tu
en auras fini avec toi... Si jamais tu y arrives...

La caméra avance.

Oui, on t'en a donné... De cette saloperie...
Dieu sait pourquoi... Même moi... Mais moi
j'ai trouvé mieux... Tu l'as su j'espère... Supé-
rieur sous tous les rapports... Plus tendre... Plus

fort... Plus fin... Plus beau... Moins sale...
Loyal... Fidèle... Sain d'esprit... Oui, moi je
m'en suis sortie... Plus ou moins... Pas comme
l'autre...

La caméra avance.

L'autre... Tu vois qui je veux dire ?... Dis
Joe... La verte... L'étroite... Toujours pâle...
Les pâles yeux... De l'âme faite lumière... Pour
emprunter ton expression... La façon dont ils
s'ouvraient après... Unique... Dans ton expé-
rience... Tu y es maintenant ?... Dis Joe... Ça
c'était de l'amour... Bonheur demain... En la
fourrant dans son poil de chameau... Les gros
boutons de corne qu'elle n'arrivait pas à enfi-
ler... Un billet dans ta poche pour le vol de
l'aube... Elle est bien passée, non ?... De mort
à trépas... Mais comment donc !... Tes premières armes... Elle remercia tôt... Plus de caquets
à craindre de celle-là...

La caméra avance.

Jamais su ce qui s'est passé ?... Elle n'a rien
dit ?... L'annonce sans plus... Innocente envo-
lée avant l'heure... Vierge-saints-priez-âme-re-
pos... Tu veux que je te raconte ?... Ça ne t'intéresse pas ?... Eh bien je le fais quand même...

C'est la moindre des choses... C'est ça, Joe, serre toujours... Ce n'est pas le moment de flancher... Quand tu es presque rendu... Je vais cesser... La dernière... A moins que ta pisseuse ne t'aime... Et ce sera toi enfin... Cette vieille fumée sans feu... Tout le temps qu'il faut... Pour finir d'empester... Puis ton cher silence... A pleine tête... Pour couronner le tout... Et pour terminer... L'amour des amours... Une sale nuit d'hiver... « A nous, poudre »...

La caméra avance.

Bon... Tiède nuit d'été... Tout dort... Pas elle... Assise sur son lit... Ah elle vous connaissait puissances divines... Pour tout vêtement le jupon lavande... Tu vois lequel... Doux clapotis de la mer par la fenêtre ouverte... Se lève à la fin et se glisse dehors... Telle quelle... Lune... Verveine... Descend à travers le jardin et sous le tunnel... Voit à l'algue que la marée monte... Descend jusqu'au bord et s'allonge le visage dans l'eau... Enfin bref ça ne marche pas... Se relève à la fin toute trempée et remonte à la maison... Sort le Gillette... La marque recommandée par toi pour ses poils superflus... Redescend à travers le jardin et sous le tunnel... Sort la lame et s'allonge sur le flanc dans l'eau... Enfin rebref ça ne marche pas non plus... Tu te rappelles comme elle craignait la douleur... Entoure l'égratignure d'un lambeau arraché au jupon... Se relève à la fin et remonte à la maison... La soie mouillée collée à sa peau... Tout ça du nouveau pour toi, Joe ?... Dis Joe... Sort les comprimés... Redescend à travers le jardin et sous le tunnel... En avale tout en allant... Heure fantôme... La lune glisse derrière la colline... La grève passe dans l'ombre... Au large l'argent tremblant... Elle s'attarde à regarder... Puis s'éloigne vers les grottes... Ce moment-là imagine... Ce moment-là dans sa tête... Pour faire ça... Imagine... Traînant les pieds dans l'eau comme une gamine... En avale encore tout en allant... Je continue ?... Dis Joe... S'allonge à la fin le visage à un mètre de l'eau... Cette fois elle a pensé à tout... Avale les derniers... Ça c'était de l'amour... Creuse un petit lit pour son visage dans les pierres... La verte... L'étroite... Toujours pâle... Les pâles yeux... Le regard qu'ils avaient avant... La façon dont ils s'ouvraient après... De l'âme faite lumière... Bien ça ton expression ?... Dis Joe...

La voix baisse jusqu'à être à peine audible à part les phrases en italique un peu plus appuyées.

Voilà l'histoire... Tu l'as eue... Le plus clair... Maintenant imagine... *Imagine...* Le visage dans les pierres... Les lèvres sur une pierre... *Une pierre...* Joe à bord... La grève dans l'ombre... *Joe Joe...* Aucun son... Pour les pierres... *Les pierres...* Dis-le, Joe, personne ne t'écoute... Dis « Joe », ça desserre les lèvres... *Les lèvres...* Imagine les mains... *Imagine...* Le solitaire... Contre une pierre... *Une pierre...* Imagine les yeux... *Les yeux...* Clair d'âme... Mois de juin... Quel an de grâce... *Les seins...* Dans les pierres... *Les mains...* Jusqu'au départ... Imagine les mains... *Imagine...* A quoi est-ce qu'elles jouent... Dans les pierres... *Les pierres...*

L'image s'en va, voix comme avant.

Qu'est-ce qu'elles caressent... Jusqu'au départ... *Ça c'est de l'amour...* Ça c'en était... Pas vrai, Joe ?... Dis Joe... Pas ton avis ?... A côté de nous... A côté de Lui... *Dis Joe...* Dis Joe...

Fin image et voix.

(1965)

acte sans paroles 1

Acte sans paroles I *a été créé le 1er avril 1957 au* Royal Court Theatre, *à Londres, et repris le même mois au* Studio des Champs Elysées, *à Paris, avec Deryk Mendel dans le rôle de l'homme.*

PERSONNAGE.

Un homme. Geste familier : il plie et déplie son mouchoir.

SCÈNE.

Désert. Eclairage éblouissant.

ARGUMENT.

Projeté à reculons de la coulisse droite, l'homme trébuche, tombe, se relève aussitôt, s'époussette, réfléchit.

Coup de sifflet coulisse droite.

Il réfléchit, sort à droite.

Rejeté aussitôt en scène, il trébuche, tombe, se relève aussitôt, s'époussette, réfléchit.

Coup de sifflet coulisse gauche.

Il réfléchit, sort à gauche.

Rejeté aussitôt en scène, il trébuche, tombe, se relève aussitôt, s'époussette, réfléchit.

Coup de sifflet coulisse gauche.

Il réfléchit, va vers la coulisse gauche,

s'arrête avant de l'atteindre, se jette en arrière, trébuche, tombe, se relève aussitôt, s'époussette, réfléchit.

Un petit arbre descend des cintres, atterrit. Une seule branche à trois mètres du sol et à la cime une maigre touffe de palmes qui projette une ombre légère.

Il réfléchit toujours.

Coup de sifflet en haut.

Il se retourne, voit l'arbre, réfléchit, va vers l'arbre, s'assied à l'ombre, regarde ses mains.

Des ciseaux de tailleur descendent des cintres, s'immobilisent devant l'arbre à un mètre du sol.

Il regarde toujours ses mains.

Coup de sifflet en haut.

Il lève la tête, voit les ciseaux, réfléchit, les prend et commence à se tailler les ongles.

Les palmes se rabattent contre le tronc, l'ombre disparaît.

Il lâche les ciseaux, réfléchit.

Une petite carafe, munie d'une grande étiquette rigide portant l'inscription EAU, descend des cintres, s'immobilise à trois mètres du sol.

Il réfléchit toujours.

Coup de sifflet en haut.

Il lève les yeux, voit la carafe, réfléchit, se lève, va sous la carafe, essaie en vain de l'atteindre, se détourne, réfléchit.

Un grand cube descend des cintres, atterrit.

Il réfléchit toujours.

Coup de sifflet en haut.

Il se retourne, voit le cube, le regarde, regarde la carafe, prend le cube, le place sous la carafe, en éprouve la stabilité, monte dessus, essaie en vain d'atteindre la carafe, descend, rapporte le cube à sa place, se détourne, réfléchit.

Un second cube plus petit descend des cintres, atterrit.

Il réfléchit toujours.

Coup de sifflet en haut.

Il se retourne, voit le second cube, le regarde, le place sous la carafe, en éprouve la stabilité, monte dessus, essaie en vain d'atteindre la carafe, descend, veut rapporter le cube à sa place, se ravise, le dépose, va chercher le grand cube, le place sur le petit, en éprouve la stabilité, monte dessus, le grand cube glisse, il tombe, se relève aussitôt, s'époussette, réfléchit.

Il prend le petit cube, le place sur le grand, en éprouve la stabilité, monte dessus et va atteindre la carafe lorsque celle-ci remonte légèrement et s'immobilise hors d'atteinte.

Il descend, réfléchit, rapporte les cubes à leur place, l'un après l'autre, se détourne, réfléchit.

Un troisième cube encore plus petit descend des cintres, atterrit.

Il réfléchit toujours.

Coup de sifflet en haut.

Il se retourne, voit le troisième cube, le regarde, réfléchit, se détourne, réfléchit.

Le troisième cube remonte et disparaît dans les cintres.

A côté de la carafe, une corde à nœuds descend des cintres, s'immobilise à un mètre du sol.

Il réfléchit toujours.

Coup de sifflet en haut.

Il se retourne, voit la corde, réfléchit, monte à la corde et va atteindre la carafe lorsque la corde se détend et le ramène au sol.

Il se détourne, réfléchit, cherche des yeux les ciseaux, les voit, va les ramasser, retourne vers la corde et entreprend de la couper.

La corde se tend, le soulève, il s'accroche, achève de couper la corde, retombe, lâche les ciseaux, tombe, se relève aussitôt, s'époussette, réfléchit.

La corde remonte vivement et disparaît dans les cintres.

Avec son bout de corde il fait un lasso dont il se sert pour essayer d'attraper la carafe.

La carafe remonte vivement et disparaît dans les cintres.

Il se détourne, réfléchit.

Lasso en main il va vers l'arbre, regarde la branche, se retourne, regarde les cubes, regarde de nouveau la branche, lâche le lasso, va vers les cubes, prend le petit et le porte sous la branche, retourne prendre le grand et le porte sous la branche, veut placer le grand sur le petit, se ravise, place le petit sur le grand, en éprouve la stabilité, regarde la branche, se détourne et se baisse pour reprendre le lasso.

La branche se rabat le long du tronc.

Il se redresse, le lasso à la main, se retourne, constate.

Il se détourne, réfléchit.

Il rapporte les cubes à leur place, l'un après l'autre, enroule soigneusement le lasso et le pose sur le petit cube.

Il se détourne, réfléchit.

Coup de sifflet coulisse droite.

Il réfléchit, sort à droite.

Rejeté aussitôt en scène, il trébuche, tombe, se relève aussitôt, s'époussette, réfléchit.

Coup de sifflet coulisse gauche.

Il ne bouge pas.

Il regarde ses mains, cherche des yeux les ciseaux, les voit, va les ramasser, commence à se tailler les ongles, s'arrête, réfléchit, passe le doigt sur la lame des ciseaux, l'essuie avec son mouchoir, va poser ciseaux et mouchoir sur le petit cube, se détourne, ouvre son col, dégage son cou et le palpe.

Le petit cube remonte et disparaît dans les cintres emportant lasso, ciseaux et mouchoir.

Il se retourne pour reprendre les ciseaux, constate, s'assied sur le grand cube.

Le grand cube s'ébranle, le jetant par terre, remonte et disparaît dans les cintres.

Il reste allongé sur le flanc, face à la salle, le regard fixe.

La carafe descend, s'immobilise à un demi-mètre de son corps.

Il ne bouge pas.

Coup de sifflet en haut.

Il ne bouge pas.

La carafe descend encore, se balance autour de son visage.

Il ne bouge pas.

La carafe remonte et disparaît dans les cintres.

La branche de l'arbre se relève, les palmes se rouvrent, l'ombre revient.

Coup de sifflet en haut.

Il ne bouge pas.

L'arbre remonte et disparaît dans les cintres.

Il regarde ses mains.

RIDEAU

(1956)

acte sans paroles 2

Acte sans paroles II *a été créé le 2 juillet 1964 à l'Ald-wych Theatre, à Londres, Freddie Jones interprétant A et Geoffrey Hinsliff B.*

Ce mime se joue au fond de la scène sur une plate-forme étroite dressée d'une coulisse à l'autre et vivement éclairée sur toute sa longueur.

Des deux personnages le premier A est lent et maladroit (gags lorsqu'il s'habille et se déshabille), le second B précis et vif. De ce fait les deux actions, quoique B ait plus à faire que A, ont à peu près la même durée.

ARGUMENT.

Par terre, côte à côte, à deux mètres de la coulisse droite (par rapport au spectateur), deux sacs, celui de A et celui de B, celui-là à droite de celui-ci, c'est-à-dire plus près de la coulisse. A côté du sac B un petit tas de vêtements (C) soigneusement rangés (veste et pantalon surmontés d'un chapeau et d'une paire de chaussures).

Entre à droite l'aiguillon, strictement ho-
rizontal. La pointe s'immobilise à trente centimètres du sac A. Un temps. La pointe recule,
s'immobilise un instant, se fiche dans le sac,
se retire, reprend sa place à trente centimètres
du sac. Un temps. Le sac ne bouge pas. La
pointe recule de nouveau, un peu plus que la
première fois, s'immobilise un instant, se fiche
de nouveau dans le sac, se retire, reprend sa
place à trente centimètres du sac. Un temps.
Le sac bouge. L'aiguillon sort.

A, vêtu d'une chemise, sort à quatre pattes
du sac, s'immobilise, rêvasse, joint les mains,
prie, rêvasse, se lève, rêvasse, sort de la poche
de sa chemise une petite fiole contenant des pi-
lules, rêvasse, avale une pilule, rentre la fiole,
rêvasse, va jusqu'au petit tas de vêtements, rêvasse, s'habille, rêvasse, sort de la poche de sa
veste une grosse carotte entamée, mord dedans,
mâche brièvement, crache avec dégoût, rentre
la carotte, rêvasse, ramasse les deux sacs et les
porte, en titubant sous le poids, au centre de
la plate-forme, les dépose, rêvasse, se déshabille
(garde sa chemise), jette ses vêtements par
terre n'importe comment, rêvasse, ressort la

fiole, avale une autre pilule, rêvasse, s'age-
nouille, prie, rentre à quatre pattes dans le sac
et s'immobilise. Le sac A est maintenant à
gauche du sac B.

Un temps.

Entre l'aiguillon, monté sur un premier
support à grandes roues. La pointe s'immobilise à trente centimètres du sac B. Un temps.
La pointe recule, s'immobilise un instant, se
fiche dans le sac, se retire, reprend sa place
à trente centimètres du sac. Un temps. Le sac
bouge. L'aiguillon sort.

B, vêtu d'une chemise, sort à quatre pattes
du sac, se lève, sort une grande montre de la
poche de sa chemise, la consulte, la rentre, fait
quelques mouvements de gymnastique, consulte
de nouveau sa montre, sort une brosse à dents
de sa poche et se brosse vigoureusement les
dents, rentre la brosse, consulte sa montre, se
frotte vigoureusement le cuir chevelu, sort un
peigne de sa poche et se peigne, rentre le peigne, consulte sa montre, va jusqu'aux vêtements, s'habille, consulte sa montre, sort une
brosse à habits de la poche de sa veste et se

brosse vigoureusement les vêtements, enlève son chapeau, se brosse vigoureusement les cheveux, remet son chapeau, rentre la brosse, consulte sa montre, sort la carotte de la poche de sa veste, mord dedans, mâche et avale avec appétit, rentre la carotte, consulte sa montre, sort de la poche de sa veste la carte du pays, la consulte, rentre la carte, consulte sa montre, sort une boussole de la poche de sa veste et la consulte, rentre la boussole, consulte sa montre, ramasse les deux sacs et les porte, en titubant sous le poids, à deux mètres de la coulisse gauche, les dépose, consulte sa montre, se déshabille (garde sa chemise), fait de ses vêtements un petit tas identique à celui du début, consulte sa montre, se frotte le cuir chevelu, se peigne, consulte sa montre, se brosse les dents, consulte et remonte sa montre, rentre à quatre pattes dans le sac et s'immobilise. Le sac B est maintenant de nouveau à gauche du sac A comme au début.

Un temps.

Entre l'aiguillon, monté sur le premier support à roues suivi à quelque distance d'un second identique. La pointe s'immobilise à

trente centimètres du sac A. Un temps. La
pointe recule, s'immobilise un instant, se fiche
dans le sac, se retire, reprend sa place à trente
centimètres du sac. Un temps. Le sac ne bouge
pas. La pointe recule de nouveau, un peu plus
que la première fois, s'immobilise un instant,
se fiche de nouveau dans le sac, se retire, reprend sa place à trente centimètres du sac. Un
temps. Le sac bouge. L'aiguillon sort.

A sort à quatre pattes du sac, s'immobilise,
joint les mains, prie.

RIDEAU

Position I

CBA ←

Position II

CAB ← ⊙

Position III

CBA ← ⊙ ⊙

AVANT-SCÈNE

(1959)

film

Esse est percipi.

Perçu de soi subsiste l'être soustrait à toute perception étrangère, animale, humaine, divine.

La recherche du non-être par suppression de toute perception étrangère achoppe sur l'insupprimable perception de soi.

Proposition naïvement retenue pour ses seules possibilités formelles et dramatiques.

Pour pouvoir figurer cette situation le protagoniste se scinde en deux, objet (O) et œil (Œ), le premier en fuite, le second à sa poursuite.

Il apparaîtra seulement à la fin du film que l'œil poursuivant est celui, non pas d'un quelconque tiers, mais du soi.

Jusqu'à la fin du film O est perçu par Œ de dos et sous un angle ne dépassant jamais 45°. Convention : O entre en *percipi* = ressent l'angoisse d'être perçu, seulement lorsque cet angle est dépassé.

O inconscient du regard :

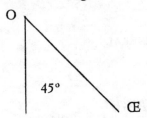

O conscient du regard :

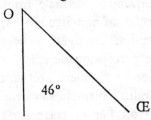

Œ s'applique donc, tout au long de la poursuite, à respecter cet « angle d'immunité » et n'y faillit que trois fois : (1) involontairement au début de la première partie au moment où il voit O pour la première fois, (2) involontairement au début de la deuxième partie au moment où à la suite de O il pénètre dans le vestibule, (3) volontairement à la fin de la troisième partie où O se fait coincer. Dans les deux premiers cas il s'empresse de refermer l'angle.

2ième personne le fait de la voix

Pendant les deux premières parties toute perception est le fait de Œ. Œ = objectif. Mais dans la troisième partie il s'agit d'une double perception, d'une part la chambre perçue par O et d'autre part en même temps O perçu toujours par Œ. D'où sur le plan de l'image un problème que je laisse aux techniciens. Voir plus loin Note 8.

Film entièrement muet à part le « chut ! » de la première partie.

Climat comique et irréel. Allure cocasse de O. Irréalité de la scène dans la rue (voir plus loin les notes s'y rapportant).

ARGUMENT

Le film comporte trois parties : la rue (environ 8 minutes), l'escalier (environ 5 minutes), la chambre (environ 17 minutes).

1. La rue.

Rigoureusement droite. Ni intersections ni rues latérales. Période : vers 1929. Eté, très tôt le matin. Quartier de petites usines, peu

COMÉDIE ET ACTES DIVERS

d'animation, des ouvriers se rendant sans hâte à
leur travail. Tous vont dans la même direction
et tous par couples. Deux hommes à bicyclette
transportent chacun une fille assise sur le gui-
don. Un fiacre, rosse lancée au petit galop,
cocher debout brandissant son fouet. Tous les
personnages de cette première partie doivent
être montrés s'adonnant par le regard, fixé sur
un objet quelconque ou échangé entre eux, aux
bonheurs du *percipere* et du *percipi*. Le point
de vue est celui de Œ, immobile à l'affût de
O. On peut le supposer dans la rue, tout près
du trottoir large de 4 m environ. Enfin O
apparaît sur le trottoir. Il fonce aveuglément
en sens inverse des autres en rasant le mur à
sa gauche. Effet comique de précipitation clo-
pinante. Long manteau sombre au col relevé
(à l'encontre de tous les autres en vêtements
d'été clairs et légers), chapeau rabattu sur les
yeux, serviette sous le bras gauche, main droite
cachant le côté exposé de son visage. Le regard
inquiet de Œ, se détournant de la rue vers le
trottoir, le cueille d'abord sous un angle dépassant 45° soit celui passé lequel selon la convention (Note 1) O se sent perçu. O continue sur
sa lancée juste assez pour bien faire voir son

— 116 —

allure, puis saisi d'angoisse s'arrête et se plaque contre le mur. Œ recule aussitôt afin de réduire l'angle (Note 2) et O, libéré du regard, reprend sa course. Œ le laisse prendre une dizaine de mètres d'avance, puis part à sa poursuite (Note 3). Seront accessoires désormais les éléments de la rue (sauf dans la scène du couple) dont il ne sera plus question qu'incidemment en tant qu'entrevus en passant par l'œil vissé sur O.

Scène du couple (Note 4). Dans sa précipitation aveugle O bouscule un couple, genre pauvre mais honnête, debout sur le trottoir, têtes penchées sur un journal. Ils doivent entrer dans le champ visuel de Œ quelques mètres avant la collision. La femme tient un petit singe sous le bras. Œ reste un instant braqué sur O dont l'allure ne s'est pas ralentie, puis fixe le couple en train de se remettre du choc. Il arrive à leur hauteur, les dépasse un peu et s'arrête pour les dévisager (Note 5). Ayant repris leurs esprits ils se tournent pour suivre O des yeux, la femme ajustant son face-à-main, l'homme ôtant son pince-nez. Puis ils se regardent, la femme écartant son face-à-main, l'homme remettant son pince-nez. Il

ouvre la bouche pour rouspéter, elle l'en empêche d'un geste tout en faisant chut ! tout bas.
Il se tourne de nouveau en ôtant son pince-nez
pour foudroyer le fuyard. Elle sent le regard
de Œ, se tourne en ajustant son face-à-main et
lui fait face. Du coude elle pousse son parte-
naire qui se retourne vers elle en remettant
son pince-nez, suit la direction de son regard,
ôte son pince-nez et fixe Œ. Peu à peu leurs
traits se figent dans l'expression qui sera celle
de la marchande de fleurs dans la scène de
l'escalier et de O lui-même à la fin du film,
expression d'épouvante de qui se voit à ce
point perçu. Indifférence du singe qui lève
les yeux vers le visage de sa maîtresse. Ils
ferment les yeux, elle écartant son face-à-main,
et filent du même côté que tous les autres,
c'est-à-dire en sens inverse de O et Œ
(Note 6).

Œ se retourne vers O qui ayant accentué son
avance est maintenant hors de vue. Œ redé-
marre en trombe à sa poursuite (images brouil-
lées des éléments rencontrés). O réapparaît,
grossit rapidement jusqu'à ce que Œ retrouve
derrière lui le même écart et le même angle
qu'avant. O s'engouffre dans un immeuble par

la porte ouverte à sa gauche. Œ accélère aussitôt l'allure et rejoint O dans le vestibule au pied de l'escalier.

2. L'escalier.

Vestibule d'environ 4 m × 4 m. Cage d'escalier au fond à droite. Les places respectives de l'escalier et de la porte d'entrée sont telles que Œ voit O d'abord (Œ près de la porte, O immobile au pied des marches, la main droite sur la rampe, haletant) sous un angle de plus de 45°. O se sentant perçu (selon la convention) retire vivement la main de la rampe et s'en couvre le visage tout en se plaquant contre le mur à sa droite. Œ recule aussitôt afin de fermer l'angle et O, libéré du regard, reprend sa place au pied des marches, la main sur la rampe. O commence à monter (Œ immobile près de la porte), se fige soudain, lève la tête, écoute, bat précipitamment en retraite et s'accroupit dans l'espace entre l'escalier et le mur à sa droite, invisible à toute personne descendant l'escalier (Note 7). Œ en enregistre la place et la pose, puis se tourne vers l'escalier. Une vieille femme frêle d'aspect

— 119 —

apparaît sur le premier palier. Elle porte un plateau de fleurs accroché à son cou par une courroie. Elle descend lentement d'un pas incertain, assujettissant d'une main le plateau, tenant la rampe de l'autre. Tout aux périls de la descente elle ne prend conscience de Œ que franchie la dernière marche alors qu'elle se dirige vers la porte. Elle s'arrête et fixe Œ. Peu à peu la même expression que celle du couple dans la rue. Elle ferme les yeux, s'affaisse lentement et ne bouge plus, le visage dans ses fleurs éparpillées. Œ s'y attarde un instant, puis se tourne pour reprendre O là où il l'a laissé. O n'est plus là, mais dans l'escalier qu'il grimpe quatre à quatre. Œ se retourne vers l'escalier et cueille O au moment où il atteint le premier palier. Œ bondit à la suite de O lancé vers l'étage et arrive sur ses talons au deuxième palier devant une porte. O sort une clef, ouvre et pénètre dans la chambre suivi de Œ. Dernière manœuvre, Œ fait demi-tour de concert avec O qui referme la porte à clef et s'y appuie du front et des mains, haletant.

3. La chambre.

Ici nous supposons résolu le problème de la double perception et voyons la chambre avec l'œil de O (Note 8). Œ doit manœuvrer tout au long de cette scène, jusqu'à la phase finale de l'investissement, de manière à ce que O soit toujours vu de dos, à la distance qui convient et sous un angle ne dépassant jamais l'angle d'immunité, c'est-à-dire préservé de l'angoisse de se sentir perçu.

Petite chambre, minimum de meubles (Note 9). Assis par terre, côte à côte, un grand chat et un petit chien, aspect irréel. Immobiles jusqu'à leur expulsion. Le chat plus grand que le chien. Sur une petite table contre le mur un perroquet dans une cage et un poisson rouge dans un bocal. Cette scène comporte trois parties :

1. Mise en état de la chambre (occultation de la fenêtre et de la glace, expulsion du chien et du chat, destruction du chromo, occultation de la cage et du bocal).

2. Séance dans la berceuse. Inspection et destruction des photos.

3. Phase finale de l'investissement et dénouement.

1. Debout près de la porte, sa serviette à la main, O inspecte la chambre. Succession d'images : chien et chat, côte à côte, en train de le fixer ; glace ; fenêtre ; divan avec couverture ; chien et chat toujours en train de le fixer ; perroquet et poisson, celui-là en train de le fixer ; berceuse ; chien et chat toujours en train de le fixer. Il dépose la serviette, va à la fenêtre en rasant le mur et ferme le rideau. Il se retourne vers le chien et le chat toujours en train de le fixer, puis va au divan et ramasse la couverture. Il se retourne vers le chien et le chat toujours en train de le fixer. S'abritant derrière la couverture il va à la glace en rasant le mur et la recouvre avec la couverture. Il se retourne vers le chien et le chat toujours en train de le fixer. Il va à la berceuse, l'examine de face. Image insistante de l'appui-tête curieusement sculpté (Note 10). Il se retourne vers le chien et le chat toujours en train de le fixer. Il les met à la porte (Note 11). Il ramasse la serviette et se dirige vers la berceuse lorsque soudain la couverture se détache de la glace et tombe. Il lâche la serviette, recule vivement jusqu'au pan de mur entre le divan et la fenêtre, le rase en passant devant la fenêtre, puis

l'autre pan jusqu'à la glace, ramasse la couverture et, s'abritant derrière elle, en recouvre la glace de nouveau. Il retourne ramasser la serviette et va à la berceuse. Nouvelle image de l'appui-tête. Il s'assied et commence à ouvrir la serviette quand soudain son attention est sollicitée par un chromo cloué au mur devant lui représentant Dieu le Père. Les yeux écarquillés le fixent sévèrement. Il dépose la serviette par terre et va examiner le chromo. Image insistante du mur avoisinant là où le papier décollé pend en lambeaux (Note 10). Il arrache le chromo du mur, le déchire en quatre, jette les morceaux et les foule au pied. Il retourne à la berceuse. Nouvelle image de l'appui-tête. Il s'assied. Nouvelle image du papier déchiré. Il ramasse la serviette, la pose sur ses genoux, en sort un dossier, dépose la serviette par terre et commence à ouvrir le dossier lorsque soudain son attention est sollicitée par l'œil du perroquet. Il dépose le dossier sur la serviette, se lève, enlève son manteau, va à la petite table. Gros plan de l'œil du perroquet. Il recouvre la cage avec son manteau, retourne à la berceuse. Nouvelle image de l'appui-tête. Il se rassied. Nouvelle image du papier déchiré. Il ramasse le dossier et commence à l'ouvrir lorsque soudain son attention est sollicitée par l'œil du poisson. Il dépose le dossier sur la serviette, se lève et va à la petite table. Gros plan de l'œil du poisson. Il redispose le manteau de manière à ce qu'il recouvre le bocal en même temps que la cage. Il retourne à la berceuse. Nouvelle image de l'appui-tête. Il se rassied. Nouvelle image du papier déchiré. Il ramasse le dossier, enlève son chapeau et le dépose sur la serviette. Cheveu rare laissant bien voir le mince élastique noir qui lui entoure la tête.

2. Pendant toute la scène qui suit (inspection et destruction des photos) on peut supposer Œ directement derrière la berceuse, le regard plongeant par-dessus l'épaule de O.

O ouvre le dossier, en sort un paquet de photos (Note 12), dépose le dossier sur la serviette et commence à examiner les photos. Il les examine dans l'ordre 1 à 7. La première une fois examinée il la pose sur ses genoux, examine la deuxième, la pose sur la première, et ainsi de suite si bien que finalement la première se trouve au bas du petit

paquet et la septième, — ou plutôt la sixième
puisqu'il ne pose pas la septième — tout en
haut. Il consacre six secondes environ à chacune des quatre premières, environ deux fois
autant aux cinquième et sixième (mains trem-
blantes). Lors de la sixième il effleure de l'index le visage de la petite fille. Il déchire en
quatre la septième au bout de six secondes et
jette les morceaux. Il prend la sixième en haut
du tas, la regarde de nouveau pendant trois
secondes environ, puis la déchire en quatre et
jette les morceaux. Il procède de même avec
les cinq autres, en regardant chacune de nouveau pendant trois secondes environ avant de
la déchirer. La première doit être montée sur
un carton plus fort à en juger par le mal qu'il
a à la déchirer. Gros plan des mains crispées
dans l'effort. Il y arrive enfin, jette les morceaux et s'immobilise, les mains serrant les
accoudoirs, les pieds calés sur la barre, se
balançant doucement.

3. Toute perception désormais le fait de
Œ uniquement sauf lorsque O le voit tout à
fait à la fin. Œ recule un peu (image de l'appui-
tête vu de derrière), amorce vers la gauche un

mouvement tournant, arrive à l'angle limite et
s'arrête. Vu sous cet angle ouvert, passé lequel
il entrera en *percipi,* O commence à s'assou-
pir. La main visible se détend sur l'accoudoir,
la tête s'affaisse peu à peu, le balancement faiblit. Œ repart, dépasse l'angle d'immunité, son
regard perce le sommeil léger, O se réveille
en sursaut en relançant le balancement qu'il
bloque aussitôt en mettant un pied à terre.
Crispation de la main sur l'accoudoir. O se
recroqueville dans la berceuse, la tête tournée
à droite et le dos rond, comme pour se parer
du regard. Œ recule afin de réduire l'angle et
O, rassuré au bout d'un moment, reprend sa
pose. Le balancement reprend, va lentement
cessant pendant que O s'assoupit de nouveau.
Œ entreprend maintenant un encerclement plus
large. Images du rideau, du mur, de la couverture masquant la glace, pour faire voir son chemin et indiquer que pendant ce temps il ne
regarde plus O. Puis brève image de O vu
des abords de la petite table, c'est-à-dire lar-
gement dépassé l'angle d'immunité. O dort
ferme, la tête penchée sur sa poitrine et les
mains, ayant glissé des accoudoirs, pendant
inertes. Œ reprend sa prudente manœuvre

d'approche. Images avec même fonction qu'avant du manteau masquant la cage et le bocal et un peu plus loin du papier mural déchiré. Arrêt et brève image presque de face de O endormi. Œ parcourt les derniers mètres (images du mur délabré) et s'arrête enfin directement en face de O. Longue image de O de face, endormi, et de l'appui-tête que laisse voir sa pose affalée. Le regard de Œ perce son sommeil, O se réveille en sursaut, lève les yeux et fixe Œ. Sur son œil gauche un cache noir vu ici pour la première fois. Il bloque aussitôt comme avant le balancement relancé par son brusque réveil. Les mains s'agrippent aux accoudoirs. Il se lève à moitié, puis se fige, les yeux écarquillés levés vers Œ. Peu à peu l'expression en question. Image (toute première) de Œ, uniquement du visage, sur fond de papier déchiré. C'est le visage de O, même cache sur l'œil, mais empreint d'une tout autre expression. Ni sévérité, ni bienveillance, mais attention pure portée à son comble d'intensité. Un grand clou sort du mur près de la tempe gauche. Longue image du regard absolument fixe. Image de O, même pose à moitié debout, mêmes yeux écarquillés, même expression d'épouvante. Il ferme les yeux et se laisse retomber dans la berceuse en relançant le balancement. Il se couvre le visage avec les mains. Image de O se balançant, la tête dans les mains, mais pas encore affalé. Image de Œ comme avant. Image de O affalé en avant, la tête dans les mains. Tenir pendant que le balancement se meurt.

NOTES

1. Première vue de O.

MUR

●O →

↑

Œ ●

TROTTOIR

RUE

2. O libéré du regard.

●O →

↗

Œ ●

3. Relation Œ-O pendant la poursuite.

●O →

↗

Œ ●

4. Cet épisode a pour but principal d'établir le plus tôt possible la qualité insoutenable du regard de Œ.

5.

```
                         MUR
─────────────────────────────────────────
 ●● COUPLE                      ●O →
        ↖
          ● Œ                   TROTTOIR
─────────────────────────────────────────
                         RUE
```

6. Cet épisode, comme celui de l'expulsion des animaux dans la troisième partie, doit être aussi stylisé que possible. Le comportement du singe, soit indifférent à Œ soit inconscient de sa présence, préfigure celui des animaux dans la troisième partie attentifs à O uniquement.

7. Suggestion pour le vestibule montrant O (a) perçu, (b) libéré du regard, (c) se cachant de la marchande de fleurs. A noter que même dépassé l'angle d'immunité le visage de O échappe à Œ grâce à la réaction immédiate de la tête qui se dérobe et (comme ici) de la main qui vient masquer le profil.

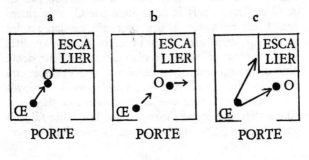

— 129 —

8. Jusqu'ici les perceptions de O, fonçant *aveuglément* vers son illusoire refuge, ont été négligées et ont dû en effet être négligeables. Mais dans la chambre, jusqu'au moment où son sommeil le livre à Œ, elles doivent être enregistrées. Et en même temps il faut continuer à donner la perception par Œ de O. Œ s'intéresse uniquement à O, nullement à la chambre dont il ne perçoit les éléments qu'incidemment dans la mesure où ils entrent dans le champ de son regard rivé sur O. On voit O dans la chambre grâce à la perception de Œ et la chambre elle-même grâce à la perception de O. Autrement dit, cette scène de la chambre, jusqu'au moment où O s'endort, comporte deux distinctes séries d'images. A déconseiller a priori toute tentative de les donner simultanément au moyen d'un truquage quelconque (image composée, plan double, surimpression, etc.). La présentation en une seule image du chromo (par exemple) perçu par O et de O en train de le percevoir perçu par Œ ne pourrait guère qu'empêcher chez le spectateur la nette appréhension et de l'un et de l'autre. La solution consisterait peut-être en une succession d'images se distinguant par la *qualité* et traduisant d'une part la perception par Œ de O et d'autre part la perception par O de la chambre. C'est peut-être à des procédés de laboratoire qu'il faut demander d'établir cette double qualité, les deux séries d'images se distinguant par leur degré plus ou moins grand de définition, par exemple, ou de luminosité. Quels que soient les moyens employés pour l'obtenir il faut que la différence soit flagrante. Après s'être cantonné jusqu'ici dans la qualité Œ uniquement on passe soudain, avec la première inspec-

tion de la chambre par O, dans la tout autre qualité O. Puis retour à la qualité Œ lorsqu'on voit O se diriger vers la fenêtre. Et ainsi de suite tout au long de la scène selon qu'il s'agisse de la chambre vue par O ou de O vu par Œ. Il serait peut-être souhaitable, au cas où serait retenue une solution de cet ordre, d'établir déjà, au moyen de quelques brèves séquences, la qualité O dans les première et deuxième parties.

C'est là à première vue le principal problème du film. J'en surestime sans doute la difficulté par manque de connaissances techniques.

9. Suggestion pour la chambre.

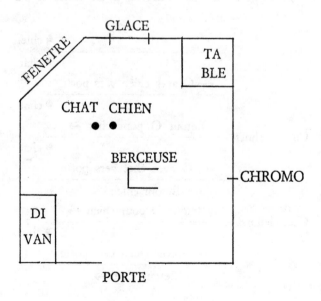

Il ne peut évidemment pas s'agir de la chambre de O. On peut imaginer que c'est la chambre de sa mère hospitalisée où depuis de nombreuses années il n'a plus mis les pieds et doit maintenant s'installer provisoirement, en attendant le retour de la malade, pour s'occuper des animaux. Cette question est sans intérêt pour le film et n'a pas à être élucidée.

10. A la fin du film les visages Œ et O n'ont pour se distinguer que (a) la différence d'expression (b) le fait que O regarde vers le haut et Œ vers le bas (c) la différence de fond (pour O l'appui-tête, pour Œ le mur). D'où l'insistance sur l'appui-tête et sur le papier déchiré.

11. Suggestion pour l'expulsion du chien et du chat.

Porte   —————————————   ● chien
                                 ● chat

           ←— O avec chien vers porte
        ————————————— ● chat

Chien dehors   Retour O pour chat →
        ————————————— ● chat

        ← O avec chat vers porte
        Retour chien →

Chat dehors   Retour O pour chien →
        ————————————— ● chien

        ← O avec chien vers porte
        Retour chat →

Chien dehors	Retour O pour chat →
	● chat
	← O avec chat vers porte
	Retour chien →
Chat dehors	Retour O pour chien →
	● chien
	← O avec chien vers porte
	Retour chat →
Chien dehors	Retour O pour chat →
	● chat
	← O avec chat vers porte
	Retour chien →
Chat dehors	Retour O pour chien →
	● chien
	← O avec chien vers porte
	Retour chat
	etc. jusqu'à
Chien et chat dehors	Retour O vers serviette

12. Photos.
1. Bébé. Sa mère le tient dans ses bras. Il sourit à l'objectif. Grandes mains de la mère. Ses yeux sévères le dévorent. Son grand chapeau d'autrefois surchargé de fleurs.

2. Le même. 4 ans. Sur une véranda, en chemise de nuit flottante, à genoux sur un coussin, attitude de prière, mains jointes, tête baissée, yeux fermés, profil perdu. Sa mère sur une chaise à côté de lui, les grandes mains sur les genoux, penchée sur lui, mêmes yeux sévères, chapeau analogue.

3. Le même. 15 ans. Tête nue. Blazer de collégien. Souriant. Il apprend à un chien à faire le beau. En équilibre sur ses pattes de derrière le chien lève les yeux vers lui.

4. Le même. 20 ans. Remise de grades universitaires. Toge académique, mortier sous le bras. Sur une estrade. Souriant. Le recteur lui remet un parchemin. Une section de l'assistance qui regarde.

5. Le même. 21 ans. Tête nue. Souriant. Mince moustache. Il enlace sa fiancée. Un jeune homme les photographie.

6. Le même. 25 ans. Engagé volontaire. Tête nue. Souriant. Uniforme. Moustache plus fournie. Il tient une petite fille dans ses bras. De l'index il lui effleure la joue.

7. Le même. 30 ans. En paraît plus de 40. Seul. Chapeau et manteau. Cache sur l'œil gauche. Expression farouche.

13. Profiter du balancement pour sensibiliser l'examen des photos. 1 à 4 : balancement doux et régulier. 5 : au bout de deux secondes balancement bloqué (pied à terre). Entre 5 et 6 balancement repris. 6 : au bout de deux secondes balancement bloqué. 7 : même que pour 1 à 4.

(Projet original, 1963.)

souffle

INTERMÈDE

1. Noir.

2. Faible éclairage sur un espace jonché de vagues détritus. Tenir 5 secondes.

3. Cri faible et bref et aussitôt bruit d'inspiration avec lente montée de l'éclairage atteignant ensemble leur maximum au bout de 10 secondes. Silence. Tenir 5 secondes.

4. Bruit d'expiration avec lente chute de l'éclairage atteignant ensemble leur minimum au bout de 10 secondes et aussitôt cri comme avant. Silence. Tenir 5 secondes.

5. Noir.

───────

Détritus - Eparpillement confus. Rien debout.

Cri - Bref extrait d'un vagissement enregistré. Essentiel que les deux cris soient identiques, celui qui au commencement lance le tandem souffle-lumière et celui qui l'arrête à la fin.

Souffle - Enregistrement amplifié. Essentiel que les deux phases inspiration-expiration soient bien différenciées.

Eclairage maximum - Pas très fort. Si O = obscurité et 10 = clarté la navette est de 3 à 6 environ et retour.

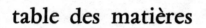

table des matières

CET OUVRAGE A ÉTÉ ACHEVÉ D'IMPRIMER LE
QUINZE OCTOBRE MIL NEUF CENT QUATRE-VINGT-
SEIZE DANS LES ATELIERS DE NORMANDIE
ROTO IMPRESSION S.A. À LONRAI (61250)
N° D'ÉDITEUR : 3110
N° D'IMPRIMEUR : 961988

Dépôt légal : octobre 1996